生活視窗40

# 茉莉花的女兒

伶姬◎著

# 紫色茉莉花

楊子敬
前任刑事警察局局長
現任潤泰集團安全總顧問

在犯罪偵查上，有所謂的「因果關係」存在。因爲肚子餓，所以偷竊食物；因爲貪小便宜，所以會上當；因爲被縱火，所以房子燒毀；因爲開快車煞車不及，所以撞倒行人……等等。簡單的說就是：因某一理由，讓一個人犯罪，或因某種行爲動作造成某樣跡象。

就像加減法1＋1＝2，非常簡單，極爲數學化，1＋1的「＋」就是「因」，2是「果」。表面上看起來「因果關係」很簡單，但假使進一步的探討，這個「果」可不單純。以蘋果爲例，手中有了一個蘋果，再拿另一個蘋果，加起來當然就是兩個蘋果。但是仔細一比，這兩個蘋果都是優質的，大小、重量、外觀都相同，那無論是數字上、價值上或實質上，就有「2」的意義。相對的，兩個當中也許一好一爛，也許一大一小，也許一熟一澀，也許一紅一青，也許……。說不完的「也許」，會不會感受到多了一個？我想不見得。

犯罪偵查上的「因果關係」也是一樣，例如：甲乙兩個好友，有一天甲丟了錢，聽信丙的話而去指責乙：「王八蛋，你偷了我的錢！」乙聽了覺得冤枉且有礙他的清譽，愈想愈不甘心，又遭家人責罵，於是一氣之下帶了放置書桌上的一把童子軍刀，想捅他一刀洩恨，未料甲轉身閃避，反不偏不倚刺中心臟，一刀畢命。乙不但賠錢又被判數年徒刑，更影響一輩子人生，後悔不已。

又如：原始現場與僞裝的現場，不可能逃得了鑑識人員的眼光。輕輕推的痕跡與用力推所造成的痕跡絕對不同。圓形的血跡必然是在靜止的狀態下滴下，相反的，驚嘆號形的血跡是在動態中流下的……。

就上例加以探討：甲因被乙刺中要害致死，這是表面的「因果關係」。如再進一步分析，假如丙未向甲說無根無據的話、甲假如不輕信丙的話或口氣柔和一些，也許不致激怒乙。又假如乙家人不但不跟著起鬨，反好言相勸、假如乙理智不衝動、假如童子軍刀不放在書桌上隨手可拿、假如甲不轉身閃避，了不起僅傷到臂膀等非要害部位……。太多太多的「假如」卻未能及時出現，釀成了「因」也造成不幸的「果」。因此，「因果關係」是否還得帶上「時」、「命」、「運」等等之組合，並不完全是數學化的單純。

《茉莉花的女兒》談的重點是人生的「因果關係」。對於人生的「因果關係」我了解有限，因為太難了。經常聽到有人這麼說：「因為前世種的因，不得不今世報」，只是我覺得同樣的「因果關係」，就犯罪與人生兩方面而言，卻有很大的不同。因為犯罪偵查上的「因果關係」僅探討犯罪的原因，限於觸犯相關法律之行為、限於現世，比較狹窄有限，而且是屬於惡「因」，因惡「因」，造成惡「果」。至於人生的「因果關係」就不同，不止現世、可能涉及好幾個前世、後世，廣泛複雜多了，大概就是所謂的因果輪迴吧。好在既有惡「因」，也有善「因」，當然也存在著惡「果」與善「果」，所以「善有善報，惡有惡報」。

例如我所聽過的故事：甲女與乙男在某一世是女主人與女傭的關係，有一天，女主人使喚女傭上街買東西，女傭難得出門，貪玩而晚歸，女主人一氣之下狠狠痛打女傭，甚至打斷了女傭右小腿。這兩個人在今世重生又重逢並結為夫妻，只是女主人變成了太太，女傭變成了先生，先生的右小腿天生就不太方便，脾氣也怪怪的，做太太的只能逆來順受。前世的「因」造成今世的「果」，也許是所謂的報應吧。

但今世的當事人是不是有機會能夠明瞭這「因果關係」存在的原因呢？而「因果關係」，在這一世報了應，是否就一定還淸了？下下輩子是否還會有報應？又假使在今世，不小心種下惡「因」，難道下下輩子也要另接受新的報應嗎？假使單自己承受還好，說不定還會牽連到他人，果眞如此，一個人旣要承受前世的「果」，在後世又得接受今世所種之「因」，實在是活得好辛苦又無奈。

有人問：「是否能以其他如懺悔、修行、施善、信教、減壽、造橋鋪路……等等行爲求得補償呢？」我個人以爲不能！如果可能的話就不成「人生」了，但是我想這些行爲也許可以爲後世增加些許的善「因」。也有人說：「可以！但很難！要看看到底是什麼『因』而定，還得看看補償到什麼程度。」問題是——有誰知道過去所種下的「因」到底是什麼？就算有人告訴你「因」，你願意相信這種科學無法印證的「因」嗎？一般佛教徒總是說：「人就是爲了還債所以才會來投胎轉世。」果眞如此，是否償還了所謂的「因果債」，就不必再來投胎爲衆生呢？

爲了人生好過，心安理得，一個人在世，處事不能不謹愼，不能不好好做人，多留一些善「因」，才能多承受些善「果」！

春天到來，又是茉莉花香時。五天前，一位友人送來三串一朵一朵用細細的鐵絲圓圓串起來的茉莉花，好香！整個原本充滿男人味的辦公室，頓時被一陣陣似有似無，淸淸淡淡的茉莉花幽香取代。那忍得讓她凋謝，於是放在水盤內保持新鮮，可是工作忙，一時忘了她的存在。但是，你相信嗎？昨天突然想起來，看了一下，很驚訝，白中帶淡黃的她，竟然變爲紫色，除了極少部分以外！（又捨不得，照了相留念。）

據悉，紫色代表修行高者？但絕對與我無關，請勿誤會。不過我眞想知道她爲什麼突變？難道藉此惹引遺忘她的人的關切？

九十一年四月十八日

於潤泰保全

# 自序

當第一本書《如來的小百合》問市之後，我就告訴自己，總有那麼一天我一定要用「茉莉花的女兒」來作爲另一本書的書名。我只想到書名卻不知道要寫些什麼，因爲記憶中的點點滴滴豈是言語或文字可以表達的，我寧可將童年的快樂時光深藏在心靈深處，久久將它挖出來輕舔一下，回味一下，就心滿意足了。

《茉莉花的女兒》一書裡所敘述的因果故事雖然指的是某些人過去世的因、這一世的果，但是換個角度看待，是否我們也可以假想看看，如果它是這一世的因，那麼到了下一世是不是有可能也會有如此這般的果呢？「欲知前世因，今生受者是；欲知來世果，今生做者是」。整本書的精華在〈因果輪迴轉世的基本觀念〉與〈應該注意的因果輪迴轉世重點〉、〈如果有下一世〉。

如果您對這一本書有興趣，不管您是自己要看或者是想要介紹給別人，我都希望各位讀者能夠先把《如來的小百合》看懂之後，再閱讀《蓮花時空悲智情》，最後才看這一本《茉莉花的女兒》，因爲這三本書有它的前後連貫性。《如來的小百合》是理論基礎，《蓮花時空悲智情》是實務舉例，《茉莉花的女兒》則是做個總整理。我希望讀者能把祂們想要傳達的訊息好好的融會貫通，然後再與充斥坊間「如何面對生活上的困境」、「如何改變自己的命運」……等相關的書籍做個比較，唯有透過分析與比較，才能讓自己脫離迷信的行列。

這本書裡大部分的文章是在臺北榮民總醫院二十一樓的「安寧病房」完成的。媽媽住進了安寧病房，所有的醫護人員與志工們陪著我們一家人和媽媽一起勇敢又安詳的面對她老人家這一段殊勝的旅程。本來我想寫一篇文章描述這一段期間（去年十月中旬開始到現在）媽媽和癌症奮鬥的所有過程，但是又怕缺乏醫學的專業知識反而誤導了大衆，因此作罷。

如果您問我因爲媽媽的這一段經歷我學到了什麼——「我會切記，有病的時候無論如何一定要記得先去看醫生，不管是中醫還是西醫，一定要找有執照的正牌醫生。不要四處求神問卜，不要道聽塗說或輕信好爲人師者。除非正統醫療不再有益處，或者是害處大於益處時，才有必要去尋求其他的管道。」記得一句話——「不要隨便拿自己或別人的生命開玩笑」，不管您是用言語、暴力、食品、藥物、自殺或其他方法，請相信我！從因果的角度而言，每一個生命都是獨一無二的「稀世珍寶」，都是老天爺手中的一顆閃亮明珠，祂們絕不允許任何人，不管是別人或是自己，去傷害它糟蹋它！

在安寧病房裡，我看到了一群忠於職守有愛心又有耐心的醫護人員，也看到了一群爲別人默默付出的志工人員，他們的目標——如何讓這些癌症患者的身心靈得到完整的照顧，也就是說並不是讓病人有「被放棄」或「在等死」的感覺，而是讓他們在治療的過程中擁有人性化和高品質的照顧，希望患者不再害怕死亡，反而因爲有了被尊重被疼惜的感覺，而願意認眞的去迎接每一天、去過每一天。一旦病情加重時，他們又考慮到如何讓這些患者有尊嚴而又平和的閉上眼睛，如何輔導他們的家屬度過這一個悲傷的過渡期，勇敢的繼續生活下去。

榮總安寧病房吳彬源醫師常說的：「人生如果是一本書，第一頁跟最後一頁應該要一樣精彩，也因此病人的第一天跟最後一天對我們來說都很重要。」雖然我看到他們已經竭盡一切在做所有的努力，可是他們卻覺得應該還可以做得更好，怎麼做到更好呢？他們思考著，離世的主角真的放下了嗎？在世的配角真的撐得過來、真的捨下了嗎？他們從以往對癌症患者的力不從心轉而變成積極的關心與照顧，他們陪著患者與家屬一路走出陰影。在這個科技、經濟掛帥，凡事講求專業與分工的時代，「人性」似乎離我們越來越遠，越來越遙不可及了，可是在這些人的身上我卻看到了最光輝的人性。他們是我終身學習的好榜樣。

也同樣是在榮總，只是地點換成一樓的「季諾義大利休閒餐飲」，一個六十歲左右的伯伯，走了進來，繞了餐廳中的大柱子一圈，右手多了三、四公分高的餐巾紙，馬上隨手再塞進自己隨身背的黑色包包裡，走了出去。那是三月十五日上午九點三十分，我坐在大柱子邊正用著早點。他不知道，也許很多人都不知道，「貪便宜」、「拿了不屬於自己的東西」在因果輪迴轉世裡佔了多麼可怕的地位。不要忽視小地方小細節，每個人自己的黑盒子從來就不曾罷工過。當我未通靈前，我很差勁；通靈後，就連百貨公司廁所裡的衛生紙我都不敢多用一張或放進自己的口袋裡。如果我沒有在百貨公司買東西而又借用了廁所，我都還得提醒自己要謝謝這家百貨公司，謝謝這位老闆願意提供廁所、衛生紙解決了我的民生問題。這是感恩惜福的「態度」問題。

有讀者反映：「看你的書和一般的書很不一樣，因為沒有一大堆文學上的修飾用語。」關於這點只有說抱歉了，因為我的文學造詣就只有這麼多，平日講話又不會拐彎抹角，又不想假藉他人的手而失去了原味，因此只能像與人對話般的把自己想要「說」的話用「寫」的方式「原文照樣翻譯」過來，於是所能夠端出來的菜色就只有如此了，眞的是很對不起！

九十一年三月二十八日

於榮總安寧病房

# 目次

## 媽媽的關懷／227

# 我的日子

# 茉莉花的女兒

我出生在臺北縣板橋市江子翠附近的一個農村，那個時候整個村裡有好多戶的人家都在田園裡種了一排排的茉莉花。夏日近傍晚的時分，我常頭戴著斗笠，腰間綁著一個小竹簍子，跟在大人們的後面，有模有樣的動了起來，做什麼呢？上田裡採摘茉莉花！整個村裡採收好的茉莉花全部交由祖父來收購，因此所有的茉莉花都集中在屋內的一個大角落，等祖父用完晚餐之後，就將所有的茉莉花擠呀擠的，塞進三、四個大大的蔴袋裡，然後再小心翼翼的綁在腳踏車的上面，頂著夜色經過光復吊橋，載到迪化街交給製茶的廠商。

我最喜歡什麼呢？喜歡趁大人不注意的時候，偷偷的將自己小小的身軀迎面撲倒在茉莉花堆上，雙手直直的插進茉莉花堆裡，再將整個小臉也交給了茉莉花，有時候，就連嘴巴裡也塞滿了一朵朵的小花。至於鼻子呢？那就更不用說了，一輩子我也忘不了那滿屋子的茉莉花香。我出生在茉莉花香裡，當然是個「茉莉花的女兒」。

如果時間重新來過，我會……，我還是會選擇成長，也許成長的過程中充滿了酸甜苦辣，但一切都是值得的。曾經說謊過，曾經偷錢過，也曾經作弊過……年幼的無知，年少的輕狂……我和一般人沒什麼兩樣，也只是個普普通通的女孩、女人，直到我會「通靈」。可是通靈後也不見得有多大的差別，因爲通靈只是我的「工作」我的「職業」，其他的時間，也許我比很多人都還要來得更「普通」。

從小至今，如果用短短的幾個字來形容我曾經走過的路，那就是——「我眞的很好命！」很難相信吧！但確實是如此，如果您是從小就認識我，一定拚命點頭說是。一來我沒有太大的經濟煩惱，我想過的日子很簡單，要求並不多，錢夠用到下一個月就行了；二來家人的狀況我也不會太操心，每個人都會生老病死，這是千古不變的定律；三來我的人際關係也不差，隨緣嘛！有什麼好貪好計較的，天生我才必有用。

日子一天天的流逝，白髮早就出現了，有人勸我說：「你怎麼不去染一染呢？看起來會比較年輕。」多累的事！一張漸漸鬆垮的老臉，配上一頭烏黑亮麗的頭髮，搭調嗎？對這些人的好心，我常說：「我是故意去挑染成這個樣子的，看起來還很自然吧！花了我不少錢呢。」小女兒常撥弄著我的頭髮對我說：「媽！你的頭髮實在是有夠細，又少又細的，摸起來感覺好舒服。恭喜你！離你的滿頭白髮越來越近了，因爲你的白頭髮越來越多了！」媽媽躺在病床上，我幫她梳頭一邊欣賞著她那黑裡帶白，白裡透黑的三千煩惱絲，「媽！你的頭髮眞的是好自然好漂亮！」「通通給你好了！」她很開心的回答我。

如果說我有什麼特別的話，我實在是想不出來，整個的成長過程似乎只能用四個字來說明——「太順利了」。別人怎麼以爲我不知道，但我自己覺得包括「通靈」的前前後後，我好像都比別人順利很多，日子好到我不知從何去挑出它的毛病。想起來了，我想我最大的特質就是——「不敢看人低」，越是別人以爲是低層的人，我越是會用心的去對待他，爲什麼會如此？我也不知道，好像從小就是這樣，有點類似好打抱不平，遇強則強，遇弱則弱。

我最怕什麼呢？讀者們願意猜猜看嗎？答案很簡單。這個不是通靈之後的影響，而是從小我就一直是這種德性——「我很怕佔了別人的便宜」。大概就是這種心態的關係，所以心中滿坦然的，從來就不曾害怕別人會在背後說我什麼壞話，就算那些壞話又傳回到我耳中，也根本就起不了任何的作用，只是讓我更認淸楚對方的爲人罷了！所以我這個人很難會「失眠」。

因爲從小就是在大家族中長大，所以看了不少聽了不少，也或多或少的學會了如何去應付一些人與人相處的尷尬問題，什麼話該講，什麼話不可以明說，什麼話該就此打住不再傳下去，什麼時候該藉題發揮……這都不是書本上可以學來的。大家族中什麼年紀的親戚都有，所以又自自然然的會注意到不同的年紀對事情的看法會有不同的體認與見解，然後又發現到不見得年紀越大的人所獲得的掌聲越多。你可以說有人自以爲是，一直活在他年輕時站在人前統御一切的風光時代；有人卻退了下來，學會了交棒學會了更高竿的潛沉，靜靜的欣賞著後浪推前浪，一代傳一代的歷史任務。

而我呢？我常常覺得我是個「異類」，這種感覺是從小就有了，而且還是越來越嚴重，到了最近，周遭的人也學會了用這一句話，只要是我的答案和別人的不太一樣，「誰叫你是個異類！」就出口了。別人以爲我會通靈所以是個異類，我自己呢?最主要的是我發現和我一般個性、一般想法的人實在是太少了，起碼直到今天我也只找到一個很類似的而已，但還不是完全一模一樣。怎麼可能會有一模一樣的呢?能夠找到一個相類似的，就已經讓我感動得快要「痛哭流涕」了。

這種「異類」的感覺，是帶給我「孤單」的主要理由，那是一種「無人知我心深處」的寂寞、失落、無力感。我常常會想要脫離人群，不是把這個肉體帶到空無人煙的地方，而是隨便找個小角落，一個可以讓我輕鬆坐下來的小角落，不管四周圍是如何的喧鬧或是寧靜，只要沒有人認得我、找得到我，就心滿意足了。很快的，我就可以讓自己緩和下來，鑽進自己遐想的世界裡，讓「孤單」稍微有個落腳歇息的時候。

如果那天您在某個咖啡店裡發現我一個人傻傻的坐著，不要過來和我打招呼好嗎?就當作不認得我就行了，我會很感激您的!

# 我的夢

還記得幾年前有一部西洋片，著名男星羅賓威廉斯所主演的「美夢成眞」吧！內容是闡述眞愛能夠超越生死的疆界，亘古不渝。我並不是要和各位探討它的劇情，您還記得電影畫面裡在「天界」的那些「人」嗎？有男有女有老有少，注意到了沒有？他們想去那裡，只要張開雙手揮個兩三下就飛了起來，就像小鳥一樣，拍拍翅膀，展翅飛翔。

知道嗎？我是個從來就不看武俠片也不看武俠小說的人，總覺得打打殺殺報仇來報仇去的很沒有意思，而裡面的主角一個個似乎都是屬於那種不食人間煙火的飄逸人物，讓我覺得「看」得很不實際，跟日常的生活怎麼樣也沾不上一點邊。直到前陣子李安的「臥虎藏龍」獲得大獎，我才好好的看了一場武俠片。我們是租DVD在家裡看的，結果主題曲才一出現，我馬上就從櫃子裡找到了那首旋律的新疆民謠CD，讓在場的孩子們聽聽，我說：「就是這一首嘛，一模一樣的，怎麼會說是創作呢？還得大獎，眞是奇怪！」沒想到過了幾天，報紙上就刊載原創者在提出告訴了。我並不覺得這個片子有什麼特別吸引我的地方，不過那一首邊疆的民謠，打從我第一次聽到，就深深愛上它了。

爲什麼提到武俠片呢？因爲我不看書也不看電影，所以頂多在預告片中看到一些功夫的特寫鏡頭，因此什麼派、什麼功、什麼拳的，我一概不懂，也懶得去懂。直到看到了「美夢成眞」這部電影，才知道……。

常常有人要我爲他們「解夢」，天知道，我自己的夢我都沒轍了，又怎能爲別人解夢呢？再說，就算我會解釋，您又該如何印證呢？我倒是比較願意相信——「日有所思，夜有所夢」。不妨仔細想想，也許白天的時候，因爲看到某一個事件而讓你的腦袋瓜突然閃過一個人的名字或往日情景，注意！只是個「人名」、「情景」而已，沒想到到了夜晚，想像力創作力豐富的你，就爲了這麼一個一閃而過的名字或情景，加油又添醋的編了好大一串的劇情。我就是如此，如果一個夢來的太奇怪了，我就會慢慢往前推想，結果，大部分都可以找到答案。一句話，我的夢沒什麼大不了的，就是前面所說的日有所思夜有所夢吧！

在這裡，我想告訴各位的是我常常會做同樣的夢，同樣的劇情，同樣的「身歷其境」的感覺，也許你會說我靈魂出竅了，可是我的靈魂並沒有飄到半空中，看到我自己的肉體睡在床上（我從來就沒有這種經驗）。所以我應該是在做夢才是。

什麼樣的夢呢？

最多的是這一種：我可以飛，可以在半空中走路，也可以在水面上走路……，大概就是武俠片中的輕功那一類了。在夢中，我想飛的時候，只要把身體稍微向前傾斜，然後雙手再揮個兩三下，就可以飛起來了，好靈活好方便也好快樂。曾經在夢中我沿著河流蜿蜒前進，居然飛到了西藏，看到了布達拉宮，爲此醒來之後，我還特地去找資料，看看布達拉宮附近的地形是否如夢中所見一般。如果要過河的話，我就踏上水面，輕拂而過。如果要上下樓梯，只要把一隻腳跨出去，這一跨就是好大好大的一步，馬上就到了，再多的階梯也只要一步就夠了。如果要走長路而又不想飛的話，那就像是在三級跳遠，只要跑個兩三步，身體就可以離地，然後可以很清楚的看到自己的雙腳就在半空中交叉跑著，速度好快卻一點兒也不費力。能夠做這種夢眞是一種「高級享受」，所以當我看到電影「美夢成眞」中「飛起來的動作」和我在夢中的情景完全一樣，各位您就可以知道我當時的悸動了。

另一種「貪財」的夢也常出現，情形是這樣的，每次都發生在打公用電話的時候（以前那種投幣式的公用電話），當我把電話掛上時，就那麼奇怪，公用電話就像吃角子老虎一樣，從下面的出錢口噼哩啪啦的掉下來一大堆的銅板。要拿也不是，不拿也不是，眞是傷腦筋。偏偏公用電話旁總是會有一條小水溝，水很清澈，可以看到有一大堆（又是一大堆）的銅板「站著」，大概有五分之四是埋在水溝底部的土中，另外五分之一露出土面，被陽光一照，還會一閃一閃的，只要將手伸進水中輕輕一捏，銅板就可以全部入袋。如果水溝裡的水乾涸的話，那麼又是另一種情形了，銅板依然站著，只是露出土面的看得比較不清楚了，但是也只是用手指頭那麼輕輕的一挖就可以得手了。妙的是，不管是公用電話的錢或者是水溝裡的錢，都好像老是拿不完。在夢中的我眞不知道是該拿還是不該拿才好。您一定想知道我怎麼做，每次我都只是拿兩三個銅板就會想到：「這不是我的錢，我如果拿走這些錢好像不太對。」念頭一出，夢境就不見了。

直到最近，我才知道什麼叫做「鬼壓床」，實在是有夠後知後覺了，一個通靈的人居然不知道什麼叫做鬼壓床。在小學中學的時候，我常常會在睡覺中感覺到胸部喘不過氣來，好累，好喘，好想趕快醒過來，我知道只要動一下就可以醒過來，就可以沒事了，可是卻又睜不開眼睛，也喊不出來，再怎麼努力，全身上上下下就是沒有一個地方動彈得了，怎麼掙扎都沒有用。說害怕嘛，也未必完全是，倒是覺得很累，因爲一方面想醒來一方面又實在是很睏。後來終於讓我找到一個最佳的方法，我在心裡唸著「南無觀世音菩薩」，一下子那種被箝制住的感覺就突然不見了，我馬上又睡著了。那段時間常常如此，我也沒有告訴任何人，也不覺得有什麼不妥，從來就沒有想過那些稀奇古怪的說法。通靈之後，好像也有過一次吧！我知道我在睡覺，也沒有做惡夢，但是會有那種感覺就是了。

一種最緊張的夢，就是考試了，我覺得這比鬼壓床還要難受。知道就要考試了，可是要考的範圍卻老是唸不完，也背不起來，有夠緊張的了。等到上場，一看題目，臉都綠了，一大堆都不會答，想偷看別人的，卻怎麼瞄也瞄不到別人的答案。好不容易終於定下心來決定自己好好作答一番時，看了一下錶，糟糕！馬上就要響鈴交卷了。天啊！我還有一大堆題目連看都還來不及看呢。這種夢眞是「整人的夢」，偏偏常常發生，醒來之後，我常常會想該如何應付下一次的呢？通靈之後，才讓我找到答案，在夢中試過了兩次之後，這種「惡夢」才沒有繼續再出現。什麼樣的答案呢？看開一點，唸不完就唸不完，背不起來就背不起來，沒什麼大不了的嘛！題目拿到了不會寫就算了，用不著想要偷看想要投機取巧。時間到了，寫多少算多少，交卷就是了，不然還能夠怎麼樣呢？想開了，惡夢遠離。

我所說的這些重複的夢，都有一個共通點，那就是馬上就進入狀態之中，也就是說這些夢沒有頭也沒有尾，就只有當中這一個片段，我會飛、會輕功、電話筒掉銅板、水溝裡撿錢、考試唸不完、作弊等等的鏡頭，好像是「有人在冥冥之中」在考驗著我，考我是否連在夢境中都能夠好好的「謹守本分」。這些夢從小就一直做到現在，並不是通靈之後才會做這種夢的。

那是最深刻的一次了，大約是在兩年前，夢中我走進了一個像是教室的地方，裡面空無一人，從窗口向外探頭出去，卻是一望無垠的大沙漠，我正想著爲什麼在這種地方會有一間教室？突然間我聽到了歌聲，一個很熟悉的旋律，我知道這首歌我沒學過，不知道歌詞是描述些什麼，可是我卻可以哼出它的曲調，於是我跟著哼了起來。哼呀哼的，越哼越大聲，也越哭越大聲，我不知道爲什麼我會哭，而且聲音大到把自己給吵醒了，咬著棉被我繼續哭。第二天，翻箱倒櫃的，終於找到了這一首讓我哭泣的歌。這之後，才驚訝的發現，從小到大我就是偏愛那種思念遙遠故鄉的歌曲，那種流浪飄泊、孤單無依、期待歸鄉的意境，總是讓我在歌唱時，投入了所有的感情，感受到「我自己」的存在。

**青青湖畔**（蘇格蘭民謠，原曲名為「羅莽湖邊」）

出城郊風光好，想起老家園，有著鳥鳴和花草香
回憶起小時候，歡樂常與我相聚，在那碧綠青青湖畔

近鄉情怯，抬起頭望故鄉，是否還記得離家時
花滿山湖滿綠，思念與我共相守，何時回到青青湖畔

憶別離心悽悽，離開我故鄉，踏著星光和遙遠路
抬起頭望遠方，寂寞籠罩我心頭，何時見到青青湖畔

近鄉情怯，心中萬種愁，離愁無限長何時休
越高山旅平野，何時才能共相守，回到碧綠青青湖畔

# 椎心之痛

當我在最嚴重的時候，女兒曾經抗議道：「媽媽！拜託你！請你不要把通靈給帶回家好不好！」那個時候的我並不是不想自我控制。我絕對不願意看到因爲自己的舉止而讓孩子們受驚。可是我想讓它自由發洩，想找出眞正的原因，偏偏又讓孩子們心靈受到傷害，那種苦又有誰能夠體會呢？

我說過，我是個很好命的人，事實上也的確是如此，所以一些有關於「心痛」、「痛心」的形容詞，例如「眼淚在眼眶裡打滾」、「內心在流血流淚」、「淚水在心窩裡打轉」、「椎心之痛」……等等，我根本就沒有機會可以體會得到。

大概是在那一段時間之後吧！祂們拼命給我看我自己的因果故事之後，我終於才有機會可以體會到那些形容詞所描述的是何等無奈的心境。

那一陣子實在很不好過，雖然住在三峽的山中，天天與藍天白雲、青山綠水爲伍，但是祂們卻趁著外在的寧靜，訓練我內心的敏感度與應變力。說出來寫出來，也只是希望能給一些在通靈過程中的自家人一點點的經驗談。

首先是這樣的，突然從心窩深處冒出一陣陣淡淡的心酸（所謂的心窩是指兩邊肋骨正下方的凹處），想哭又哭不出來，又不知道到底是怎麼一回事，可是也只是一會兒的時間，它又慢慢的緩和了下來。幾次之後，這種心酸的感覺加劇，當然了，心情也只會更不好受，可是一樣的，我還是不知道到底是怎麼一回事，到底是不是祂們來找我呢？如果是祂們來了，那麼是要告訴我什麼事嗎？還是快要發生什麼大事了呢？眼淚流下來了，流得很莫名其妙，心是酸的卻又帶點兒害怕和緊張。淚水是鹹的，腦袋瓜卻清醒得很，只是找不到答案而已，所以我才會說眼淚流得很莫名其妙。

再接下來的可不是這麼簡單了，已不是心酸而是變成心痛了，然而它又不是眞正肉體的痛，而是一種無名的心痛感覺。這種感覺「好慘」，就像是天底下只剩下你這個人，好孤單好孤單，想回家卻又找不到回家的路，孤零零的一個人望著滿天的星斗，只有大聲哭號，藉著淚水洗淨滿身的疲憊。如果這是答案也就罷了，偏偏這只是我自己的感覺，我根本就不知道答案是否眞的就是如此。

怎麼辦呢？一次又一次的不按牌理出牌，一次又一次的偷襲著我，總是在我完全沒有防備的情況下，把我整個人給擊潰了。

祂們常選擇夜間我在山路中開車的時候悄悄的爬上了我的心頭，很清楚的知道「又來了」，可是卻又不知該如何是好，只知道馬上我又得淚流滿面了。那是在夜間，又是在山路中開著車，如果眼前的視線模糊，那可是很危險的，何況三個孩子還在後座睡著呢。於是我只好強忍著淚水，拚命忍，拚命的忍，怎麼樣也不能讓自己哭出來。結果，「眼淚在眼眶裡打滾」、「內心在流血流淚」、「淚水在心窩裡打轉」……全都清清楚楚的體會到了，清楚到我都可以知道淚水是順著時鐘的方向還是逆著時鐘的方向在心窩裡打轉。那種「轉」進去、「鑽」進去的感覺眞的是——椎心之痛。

後來，在家中，祂們也依然不放過我，突然之間「又來了」，來的速度又快又猛，這個時候，我已來不及準備了，只能馬上緊咬著牙或張開嘴巴大聲呼氣，實在沒辦法了，就衝進洗手間趴在洗臉臺上「狠狠的」大哭一場。就是家中的這幾次把孩子們給嚇壞了，年紀小小的他們又怎會知道媽媽也是無可奈何啊！

最後，我學聰明了，我選擇躲進被窩裡讓自己哭個痛痛快快！

曾經我也想過，是不是上面發生了什麼事，祂們不忍心告訴我，可是我卻心電感應的收得到一丁點的訊息，也許這一丁點的訊息正是祂們心中的「痛」，祂們心痛我也不好過，是不是這樣子呢？可是一想到如果眞是這樣，我只會哭得更糟糕。

最嚴重的終於過去了，慢慢的，所有的步驟依序倒轉回來，心痛的感覺又回復到一陣陣心酸的感覺，然後再退化到必須很敏感才能感覺到有那麼一點點的心酸。最後，連淚水也終於打住了。

現在呢？想通了！痲痹了！就算是祂們出了事，我又能夠怎麼樣呢？「我感覺怪怪的！」變成是我的口頭禪了，「管他的！天下無大事，有事也不關我的事！」自言自語的就這麼帶過了。日子又正常了。

也許吧！也許祂們藉由這種的訓練，讓我不再執著，讓我學會「跳脫」出來，不再深陷在一般世間人的感覺裡。但也因爲如此的經歷，我似乎變得比較「沒有情」，也許應該是這麼說才是——我把一般世間人的感情看得很淡了。

# 同行的問題

他，年約五十歲，第一次來參加座談會的時候，他就告訴在場的人士，他是一位作家也是一位心理諮商家。我笑著對他說：「那你爲什麼還來找我呢？」「我來見習見習，順便交換彼此的經驗。」看起來他眞的是很有心。第二次來的時候，他帶著太太一起來。第三次再來時，一對一的服務，他當場也做了錄音。他想知道他和前妻的因果關係。

「上一次，你太太不是也有來嗎？」我問。

「那一個是我的第二任妻子。」有時候，我對於這種問題不太願意回答，因爲事情都已經過去了，何不往前看呢？可是對於他，同行的，他又那麼有心來了三次，我不能不答。

我看到了一男一女面對面站著，各拿著一枝長柄杓子，身旁各有一個木桶，原來他們在某一世裡就是一對夫妻。

「在某一世，你和你前妻是屬於那種從小就指腹為婚的夫妻，我用這個時代的生活背景做比喻好了。女的是在臺北這個大城市長大，而男的卻是在臺東的小村莊長大，既然從小就指腹為婚，女的也只好很勉強的嫁到臺東偏僻的小地方去。這個男的是個腳踏實地的莊稼漢，所有的種植經驗全部都是自己親身體驗得來的，而女的在臺北所學到的偏偏都是屬於理論性的學問，於是夫妻兩人常常為了有關種植的問題而鬧意見。我所看到的畫面就是兩夫妻因為意見不合而互相潑糞水。」

「我再說清楚一點，你就是住在臺東實際在栽種農作物的農夫，你懂的是實務；而老婆卻是臺北某大學園藝系的畢業生，她懂的是理論。當然了，也因為理論與實務的差距，害得夫妻兩人一天到晚在吵架。」

「你知道嗎？我太太眞的是××大學園藝系第一名的畢業生。」

「啊！怎麼會那麼巧呢？」夠了！光憑他的這一句話我就知道老天爺又過關了，接下去我所說的話，他或多或少會聽進去一些。

「可是你有沒有想過，她和你的因果並沒有誰欠誰的問題，在那一世裡就是因爲她的緣故，你才發憤圖強再去進修，所以你應該要感謝你太太才對。有的時候換個角度看待問題，眞的會有意想不到的收穫。」

「換個角度看待問題」，這是我常說的一句話，不難！一點也不難！這一陣子大家議論紛紛，要不要轉到大陸去投資呢？要不要移民呢？要不要把不動產處理掉呢？公司要不要再營運下去呢？投資在證券市場的資金要怎麼辦呢？被倒掉的會錢要得回來嗎……各位，您呢？您有這些煩惱嗎？我不知道您有沒有，但是在問路咖啡裡的這幾位先生太太們倒是心寬得很，因爲我們都沒有多餘的錢，沒有多餘的錢好投資也沒有多餘的錢可以借給別人，所以我們都沒有這些煩惱。很難想像吧！經濟不景氣的時候，才知道原來自己是個非常幸福的人，因爲我們沒有多餘的錢，所以我們就沒有損失，也就沒有煩惱。

有個參加座談會的讀者說了這麼一段話，您聽聽看，再想想看她說的有沒有道理？她是這麼說的：「大家一窩蜂的往大陸投資往別的國家移民，大家都認爲臺灣沒有希望了，可是我卻不以爲然。爲什麼我們就不能夠換個角度衡量這個問題呢？當一大堆大企業出走的時候，想想看，不也就是可以讓臺灣的土地好好休息一陣子的時候嗎？難得有這麼好的機會讓我們可以眞正用心來關心環保的問題有何不好呢？幾年之後，臺灣將會有個新氣象不是嗎？」

同樣的，不知道過去世的因果難道就不能過日子了嗎？從我嘴中說出來的因果故事難道就有那麼大的影響力嗎？如果您沒有機會碰到我，怎麼辦呢？難道您就不能自己爲自己編個可以接受、可以安慰、又可以鼓勵自己的理由或故事嗎？

有些人來到了問路咖啡參加座談會，他們會對我說：「我和你是同行。」這個時候，心中有疑問的人一定是我，不是對方，因爲我實在不知道該如何猜測對方的職業，是寫書的嗎？是心理諮商的嗎？是想研究修行的嗎？是算命的嗎？是個通靈人嗎？還是乩童呢？還是像我一樣是個很認眞的專職媽媽呢？……（這個時候，我才發現我的身分還眞不少！）也許他們都很有心，可是我所不了解的是，如果這些人不能爲自己「定」下一個標準或讓自己的作爲有一個基本的根據，那麼他們又該如何去服務別人呢？

我絕不是看不起這種人，只是我覺得很奇怪，他們既然可以爲人服務，爲什麼就不能將自己服務別人的那一套用在自己身上呢？也許吧！就像我常說的，自己是自己的「盲點」。可是話又說回來，如果這些人的理論自己不先實行看看的話，又怎知親身實踐的結果會是什麼樣的一種體會呢？他們的理論基礎符合現有的法律嗎？符合一般的風俗民情嗎？還是只是爲了迎合對方，替自己也替別人找藉口呢？我所擔心的是他們所提出來的理論基礎，自己都覺得有破綻有疑問，都不知道是否能夠前後如一左右貫通，又怎能期待別人能從他們的理論中獲得新生呢？

更嚴重一點的是拿別人的生命開玩笑，不勸對方去看醫生，只是一味的希望、一味的迷信自己的通靈本事、符咒效力、法術功夫、算命能力……可以救回對方的生命。這些「同行的」知道嗎？如果自己沒有把握而只是迷信老天爺的能力，如果因此而耽誤了對方就醫的時間，那麼這些「同行的」，所該承受的因果就如同害死一條生命一樣，絕對是要爲此付出代價的。爲什麼呢？很簡單！老天爺絕對有好生之德！絕對不允許用「開玩笑」的態度對待生命！

舉個例，如果說對方有偏財運，那麼請問該勸他去簽六合彩呢？還是簽樂透呢？還是買股票呢？這個答案倒是不難，因爲六合彩在臺灣是不合法的，所以自然就會被剔除。我常說——「千萬不要迷信」，那麼我自己就絕對不能迷信，也就是說當我不迷信，而又能夠照樣過日子時，我才可以確定眞的是不需要迷信。

我個人以爲在修行的這條路上，不是宗教派別不同、法門不同、師父不同……

等的問題，也不是修行層次高低的問題，更不是理論玄不玄、有沒有道理、適不適用、有沒有聽懂的問題，而是做了多少、實際做了多少的問題。常聽有人說他修到了第幾天第幾果位，這又能夠代表什麼嗎？就算他能夠不吃不喝不睡，他能夠長生不老永不死亡，還不是照樣要過日子！照樣要守法！

當然也可以有另一種解釋，那就是——我很沒有包容心，很沒有進取心，不知道向別人學習。這倒也是眞話，自從我通靈之後，只去過一個地方，那是在松山附近的「觀落陰」。那一次我們三個會通靈的好友覺得我們應該去看看別人是怎麼通靈的，於是按址找了去（那個時候電視節目大力推薦這個地方）。三個人因爲是臨時起意的，所以掛不到號，只好和其他掛不上號的人從一開始就一直站在後面很有禮貌的觀看著。據說在短短的一、二十分鐘內，在場有緣的人就可以進入狀況，可是我們去的那一次，師父們已經唸經唸了一個半鐘頭，卻一直沒有人進入狀況。

師父是每隔三十分鐘休息一次，直到第三次休息時，我們才順手拿起旁邊的一本書翻閱著，書裡頭有一頁是關於觀落陰的注意事項，其中有一條寫著——「現場如有會通靈的人士可能就會影響觀落陰的進行。」天啊！怎麼會這樣呢？還有什麼好說的呢？我被推爲代表上前去向師父道歉：「師父！眞是對不起！我們不知道有這種限制，偏偏我們一來就是三個通靈人，害得你們觀不起來，眞的很對不起，我們馬上就走。」

第二次再去時，我拜託先生和我一起去，先生並不會通靈，他也只是站在後面觀看。我在佛前拜拜，我是這麼說的：「菩薩！我不是來攪局的！我是眞心來見識的！您就行行好！把我變成普通人就好了，我絕對不是來搗蛋的，您就讓我開開眼界吧！」於是我故意坐在第一排，蒙上了眼……。這一次我看到了，看到了韋馱菩薩，還看到了金剛杵和金剛鈴，其他一般人常看到的什麼樹啊、花啊等等，我卻一樣也看不到。

各位，您說說看嘛！我該如何呢？又能夠怎麼樣呢？別人可以到處去見識、去觀摩，我卻擔心耽誤了別人而不敢登門拜訪請益。甚至於連路邊的測字攤、算命攤……我一概把錢給省了下來，因爲我覺得有關於自己的問題還是應該自己想辦法解決才對。我不想浪費金錢，也不想去踢別人的館子，更沒有想過和其他「同行的」一較高下，所以這麼多年來，就這麼一次。

還有一椿更不可思議的事，說來讀者一定又會認爲我自以爲了不起，但是我說過，我願意將自己的經驗寫出來和讀者一起探討，所以您會怎麼想，那是你的事，我不介意。通常我們總是勸人家要多唸佛——「南無阿彌陀佛」、「南無觀世音菩薩」、「南無地藏王菩薩」……，唸到一心不亂。可是您知道我有多可憐嗎？我居然不敢唸佛。不要存疑！眞的如此！我不敢誦唸佛號！

自從通靈開始，喔！不對！是從通靈前不久開始，我就注意到，似乎只要我誦唸佛號，祂們就會來。就像我在《蓮花時空悲智情》說的，一下子來了達摩，一下子來了濟公……。注意到這個現象以後，我就可憐了，我不敢誦唸佛號，我怕祂們收到我的訊息，啪的一聲就飛來了，發現我沒什麼大不了的事……，那我豈不成了「放羊的孩子」。

從此以後，如果不是絕頂重要，我不敢唸佛號，就連動個念頭都要盡量自我克制，實在受不了的時候，也只敢唸六字大明咒。關於這一點，相信您一定很難想像，但是就算您不相信，我也不會想要誦唸佛號證明給您看。我只想在眞正無助的時候，才請祂們幫忙，這就是我的個性，很倔也很不可理喻。

直到九十一年二月九日在高雄凱旋醫院做腦波實驗時，我才將這個「誦唸佛號」加入了我的實驗項目。結果是什麼呢？有沒有讀者想要猜猜看？答案是六個字！我誦唸的是「南無阿彌陀佛」六個字，我實驗的感覺也是六個字——「一發不可收拾」。

我把「金字塔」也列入了實驗，我將它想像成是個「收發器」，我很認眞的觀想著金字塔。才一下子，我就「被電到了！」金字塔從我的頭頂往下鑽，一直鑽，一直鑽，一直鑽到我的腳底，變成了像一個成人般大小的金字塔，把我整個肉體給占據了，我像個金字塔般的矗立著。

也許吧！也許就是我這種不輕易驚動祂們的個性，所以祂們願意請我幫忙做翻譯。心存正念，不貪不取不求，認眞的度過每一個老天爺賜與的日子，就這樣！很簡單！

# 不要抓我

在當了十多年的家庭主婦之後又重回職場，上班的地點就在淡水紅樹林附近，依山傍水，風景相當優美。主管爲了歡迎我加入他們的行列，特別請大夥兒到石門濱海公路上的一家海產店用中餐。聽說這是一家很有名的海產店，爲什麼有名呢？因爲它的海產非常新鮮，活蹦亂跳的。

一到了目的地，一夥人就站在店門口，望著那一格格用透明玻璃圍裝著的活海產，開始比手劃腳議論紛紛。「今天你是主角，你來決定菜單！」主管對我說著。我這個新鮮人本來只是禮貌性的站在一旁觀看，被主管這麼一說，大步向前，也加入上下左右「搜尋」的行列。

「不要抓我！」誰啊？什麼聲音？我的左耳突然聽到一個很大的聲音，這個聲音我一點都不熟悉，爲什麼只有左耳聽得到呢？我回頭看了看，沒有啊！那不是同事們的聲音，而那天不是假日，又是中午時刻，整個餐廳就只有我們這一群人，奇怪了，到底是誰在說話呢？這個時候的我，所站的位置剛好最靠近透明玻璃格前。那聲音實在來的太突然了，也太大聲了，所以我不得不查個清楚。念頭一轉，往左前方一望，喔！我知道了，我知道是誰在對我說話——左前方玻璃格內的一隻大龍蝦。

答案揭曉，心頭一震，「你們曾經來過比較熟悉，你們點菜就好了！」我藉故上廁所快步離開現場。

後來，龍蝦那一道菜是最後上桌的，因爲是現殺的所以必須先冰凍幾分鐘，才能做出味道最鮮美的龍蝦沙拉，好心的老闆還爲我們留下了寶貴的龍蝦血……。那一次的迎新餐會，我不知道是如何結束的，我不敢告訴在場的同事我聽到的那一句話——「不要抓我」，雖然他們都知道我會通靈。

有人吃純素、奶素、蛋奶素，有人主張蔬食，有人特別愛品嚐現宰的山珍海味，有人愛打獵有人愛釣魚……。也許吧！也許打獵、釣魚都是一種健康的休閒活動，但是如果您也能夠像我一樣聽到「不要抓我」，您又該如何呢？

＊＊＊＊＊

這是另一個「不要抓我」的故事。

問路咖啡店裡有一位得了乳癌且切除一邊乳房的太太，五年了，經過五年了，她依然活得很好、很快樂，所以每次有人問到乳癌的問題時，我就把責任推給她，請她和當事人另闢一桌，好好的談一談。

剛開始的時候，我們作勢要碰她的義乳時，她總是說：「不要抓我！」久而久之，習慣了，彼此都失去了新鮮感。有那麼一天，是一對一的服務時，來了一個女士，開口就說：「陳太太，你知道嗎？我得了乳癌！」我也迫不及待的回答：「我們店裡也有一個……，我請她來和你聊一聊。」

兩個女人碰頭了，一聊才知道都是屬於「少奶奶」族的，這個時候，各位不妨猜猜看發生了什麼「黃色事件」呢？這兩個女人各自伸手從脖子往自己內衣裡一抓，各抓出了一個義乳。

問路咖啡的這一個說道：「我這一個是託人在美國訂做的，材質不錯，比較輕，但是不便宜。」

問事的這一個女士說道：「我這一個隨便用手帕或小圍巾包一包，再塞進去，等到天冷的時候，把手帕或圍巾抽出來，圍在脖子上，就是最現成的圍巾了，你看！多方便！」

同坐一桌的我說話了：「你們兩個又何必多此一舉呢？切都切了，又都看得那麼開，何必還要帶義乳呢？」「不行！這樣子身體兩邊不平衡，脊椎容易受到傷害！」我又上了一課。

作爲第三者的我在這個時候又能夠做什麼呢？只好做個公證人了！一手各捧著一個義乳，仔細的用手評估一下它們的重量，感覺一下它們在我手上的溫度，體會一下義乳和眞乳到底有什麼不同的觸感……。

# 輪椅

媽媽生病了，病得不輕，沒有辦法行走，在家中還好，就坐在附有輪子的椅子上就可以了，但是出外的時候怎麼辦呢？當然是可以不上街，但是還是得上醫院看醫生啊！

爸爸和二弟爲媽媽買輪椅回來了，一部很好很耐用的輪椅，新臺幣二千六百元。

同樣的那一天，爲了某事，我只好躲到美髮院，又爲了拖時間，我除了洗頭髮又做了護髮，我選擇了最便宜的護髮，結果還是花了七百多元。因爲我的頭髮又細又少，所以除非有特殊的必要，否則我都是自己動手洗洗吹吹，又快又省錢，因此市面上的洗髮行情所知不多。沒想到躲到美髮院一個鐘頭的代價居然花了我七百多元。

一個女人買件衣服，很容易就上千元；一家人上個館子也很容易就上千元；隨便買個幾期的樂透彩劵幾千元就不見了；一個唸音樂班的孩子上一個鐘頭個別課的鐘點費，往往就比一部輪椅的價格還要來得高……。

突然之間，我才知道「價値」是什麼，它的眞正意義是什麼。

樂透、刮刮樂……街頭巷尾整個瘋狂了，臺灣完全看不到經濟不景氣，也看不到政治人物的勾心鬥角……。計程車司機說收入差了不少，自助餐業者說業績少了一、兩成……一大堆的人東省西省的就爲了買一個「希望」。有錯嗎？我不認爲有錯，有夢總比沒夢好，只是追逐這樣子的夢……。如果眞有這個「命」，一張就會中，不管你在什麼時間買、在那一個投注站買。「天下沒有白吃的午餐」，錢財來的容易也許並不難，難就難在能不能夠「守得住」。如果到頭來您依舊保不住這筆意外之財，還惹了一大堆有的沒有的煩惱事，請問這個希望値得您去追求嗎？如果您說是在做「公益」，那何不直接就把五十元捐給慈善機構呢？我欣賞那一個人，那一個統一發票中兩百萬元，直接就把發票捐出去的人。

「明牌」、「名牌」這兩者又差得了多少呢？高尚一點的人嘲笑那些求神問卜東跪西拜，花時間花金錢花體力，滿懷希望到處追求六合彩、股票、樂透「明牌」的人。而他們自己又如何呢？從國內的專賣店、委託行逛到國外的精品店、百貨公司，一樣花時間花金錢花體力，滿心期盼苦苦追求的卻又是另一種「名牌」。而電視上播出的那些遲到早退，上班時間去美髮院、買樂透、打牌、看雜誌……的公務人員，不知道他們追求的又是那一門子的明牌或名牌。喔！祂們說那是「暝牌」，渾渾噩噩，打混過日子的「暝牌」。

其實要做善事一點都不難，只要有心，只要盡力，你我都可以捐出一部輪椅送給需要的人，你我都可以捐出一點金錢幫助很多需要幫助的人。如果您在金錢方面不是那麼寬裕，也許您還有時間還有體力，那麼請捐出您的時間與體力吧！做善事眞的是一點也不難，難只難在「知易行難」。

# 接受科學實驗

相信各位讀者看了這一篇文章之後，才可以進一步了解到我是如何的不迷信，如何努力找尋答案，如何把自己給豁出去。

去年十二月的時候，聯經的林主編打電話告訴我：「我將妳的《如來的小百合》及《蓮花時空悲智情》這兩本書送給高雄市凱旋醫院的林醫師看，對方是一位研究瀕臨死亡經驗的醫師。」林醫師看過之後，想見見我。於是趁著他到臺北開會的時候，林醫師、林主編、我、還有另一位通靈的古小姐（很會泡咖啡的那一位），一起約在一家小咖啡館聊聊。這一聊，把我的日子給大大改變了。

我們談得很投機，我一向如此，不太容易有防人之心（總是要等到受傷害之後才想到要不要稍微防一下，可是沒多久本性又來了，還好多虧有祂們長期關愛的眼神，我才能夠存活至今），一向是很open的，有什麼就說什麼，不懂得掩飾也不懂得藏私。

「如果我請你到我們醫院來演講你會答應嗎？」

「有什麼不可以的呢？謝謝你看得上我，可是你不怕被同事們取笑嗎？笑你學醫、學科學的居然還這麼迷信，搞不好還把飯碗給丟掉了。」

「人本來就應該要有學習的精神和包容的雅量，在聽過了之後絕對可以不相信不接受，但是沒有必要在完全不明白狀況之前就先排斥、先嗤之以鼻，那多可惜！爲什麼就不能試著聽聽別人的經驗談呢？」他都不在乎了，我又有什麼好怕的呢？可是他又說了：

「你下來高雄演講的時候，如果我們順便找你來做實驗，你會答應嗎？」好一個順便。

「有什麼不可以呢？我自己對自己比別人對我自己還更好奇，如果有人願意免費替我找答案，我高興都還來不及呢！你知道嗎？我交代家人萬一將來我死掉了，可以把我的腦袋瓜捐出來讓專家們去研究。」

「那沒有用的！」

「為什麼呢？」

「人死了，腦袋瓜就沒有什麼研究的價值了。」

「喔！我連這種常識都沒有，有夠差勁！如果是這樣，那麼我就更要接受你們的實驗才對。」

高雄凱旋醫院是一家市立精神醫院，只有一科——精神科，位於高雄市苓雅區凱旋二路上。九十一年一月十八日，我們兩個通靈的女人坐在臺北松山機場二樓的咖啡廳吃著早點，古小姐的胸口很悶，我呢？更糟！哭了！

「這一趟下去高雄做實驗，我的心情很沉重，因為如果只是出書只是開座談會，那都沒什麼了不起，我的日子還不會差到那裡去，可是萬一實驗有了一點差錯或是有了一點眉目，我可就完了。我不怕出差錯，因為我從來就沒有要騙人，所以就算有了差錯，頂多是不再為人服務就是了；我擔心的是如果實驗做出來，我們真的和別人不一樣，而且很不一樣，那麼……。這真的是一條不歸路，這一趟下去就沒有回頭路好走了，我將不再是屬於我自己一個人的。」

十年前剛通靈的時候，先生很著急，急著想把我送進醫院的精神科檢查，那時候我很清醒，知道自己沒有問題，所以說什麼我也不肯接受任何的安排。十年後，我卻自投羅網，用自己的雙腳自動的走進了精神醫院。

在凱旋醫院凱旋廳的演講採全程錄影，我最希望錄影了，因爲錄影存證可以省掉事後很多無謂的猜測與辯論。上半場是我自己一個人演講，題目是——「通靈人的前世治療」，下半場的情況可就大條了，我和古小姐各坐在一張籐椅上，偌大的講臺上就坐著兩個會通靈的女人。做什麼呢？如果您參加過木柵問路咖啡的座談會您就知道那是怎麼一回事了——就在錄影機前，我們接受現場來賓的發問。現場有那些人呢？院長、醫生、護理人員、病患、病患家屬，問些什麼問題呢？五花八門！

還記得上半場演講時，我告訴在座的所有來賓，告訴他們我在松山機場哭了，因爲我選擇了不歸路。

「謝謝各位給我這個機會讓我站在這裡，一個通靈人要站在這個講臺上面演講，等一下還得接受現場這麼多人的發問，明天還要接受腦波的實驗，如此赤裸裸的讓自己完全曝光，這的確需要有相當大的勇氣。我覺得我眞的很勇敢！請大家給我一點掌聲鼓勵鼓勵！」說到此，自己的眼眶又不聽話了，可是我也注意到坐在第一排的代理院長給了我很大的掌聲。謝謝!謝謝凱旋醫院所有的人員給了我這一個機會。

十九日上午,古小姐和我都做了腦波實驗,結果是——「怪怪的」,於是有了第二次腦波實驗的構想。醫生們有一個目的,他們想將這一次的研究報告提交到今年八月在日本橫濱舉行的世界精神醫學大會發表,至於能不能引起對方的青睞,進而探討這一份研究報告,這不是我們能夠左右的,我們只盡力耕耘,但不在乎它是否能夠開花結果。

醫生們有目的,我呢?我的野心更大。自從「怪怪的」第一次之後,我就很努力的在思考這方面的問題——該不該做第二次的實驗呢?如果拒絕不做的話,起碼我還有一次逃脫的機會。可是通靈的經驗告訴我,眞的有輪迴轉世,然而我只是個通靈人,又不想做廣告,除了出書、開座談會,我不知道還有其他什麼方法可以讓更多的人知道因果的存在。在臺灣我就只能乖乖的被列入「旁門左道」、「怪力亂神」、「迷信」的行列,就算我眞的有心,也屬多餘,根本就沒有機會登上學術的殿堂,引起一般人的注意。

我天眞的以爲,如果能夠讓國外的醫學界或科學界用儀器證明我的腦袋瓜眞的和一般人很不一樣，那麼也許我就能夠引起相關人士的興趣，一旦有了這些先進科技人士的背書，那麼我就可以「比較有名」，說起話來也「比較有份量」了。如此一來，人們注意到我的存在，就會好奇的想要了解我的理念，因果輪迴的觀念就可以傳播出去了。

好！我打定了主意！繼續走下去！於是在一月底接受了第二次二月八日的邀約。二月六日凌晨零點左右，我動了念，我實在是很想知道「祂們」對這個腦波實驗的看法，我覺得很孤單、很無助，不知道「能夠找誰」、「應該找誰」、「可以找誰」來討論這個問題。雖然說我已經做了決定，但是還是想找個能夠支持我決定的人。我想要有個靠山，我希望能夠有個肩膀讓我靠一靠歇一歇，我眞的覺得這個決定讓我自己滿累的。躺在床上，靜下心來，我讓自己和祂們溝通……。「用生命去完成它！」我驚醒了！哭得更痛了！不只是我有野心，祂們的期望更大，大到居然要我用生命去完成它。

「如果眞要我走這一條路，那麼在做實驗的時候，就請證明給我看吧！」當下，我爲自己又加入了一些實驗的項目，那些項目是第一次做腦波實驗時所沒有做到的，我考我自己也考「祂們」。

我告訴林醫師：「我猜想依當前最先進的科學尖端儀器可能也沒有辦法給我一個滿意的答案，找出『我爲什麼可以如此』的答案，雖然無法找出答案，但是只要能夠證明我的腦波和一般人的很不一樣，甚至於和一般的通靈人也不太一樣，那麼這個實驗對我而言就很值得了。」

二月八日的下午，我被安排在一間小診療室裡先做一些測驗，足足測驗了將近四個鐘頭，測驗些什麼呢？我覺得我好像是個學生在做ＩＱ測驗，在做ＥＱ測驗……。到底醫生們想知道些什麼呢？原來這個測驗的結果是——證明我很正常，沒有精神病的癥兆，也沒有發瘋。九日上午我又做了另一次的腦波實驗，因爲有了上一次的經驗，所以這回來個全程錄影，而且是同步的，結果是——「不可思議！」

在凱旋醫院醫師們的幫忙下，我終於知道我的腦波和一般人的腦波眞的很不一樣，至於爲什麼會不一樣，而這個不一樣將來又會引起什麼樣的不一樣，就讓老天爺作主吧！我盡力配合就是了！

# 因果理論基礎

# 穩贏的因果解釋

將我帶入醫學界的高雄凱旋醫院林醫師，就這樣一路「緊盯著」我。我這麼說，但他可不這麼認爲：「你是我請來高雄做實驗的，只要你在高雄一天我當然就有責任保護你照顧你。」「放心好了！我是高雄的媳婦，不會走失的！」其實私心裡我倒是很高興他一路緊盯，爲什麼呢？旣然他有心要做實驗，那麼我覺得他就有必要知道我這個通靈人「不通靈」的時候是怎麼過日子，怎麼待人處事。很多時候，在事件發生當時看不出眞相如何，卻也有很多人在非常的時刻才可以見識到他的眞面目。我最喜歡舉的例子就是男女在談戀愛的時候，幾乎每個人都把最好的那一面呈現在對方眼前，等到結婚之後，才……。太慢了！後悔已經來不及了！

可知林醫師是怎麼個緊盯法嗎？他很少告訴我下一站要到那裡，就算告訴我要去那裡，也很少會告訴我是那些人想要見我，就算告訴我有那些人想要見我，他也不會透露任何一點點對方的資料。偏偏我這個人也是個大怪人，很容易相信別人，所以我也絕對不會多問一句，我對他說：「既然你們請我下來做實驗，而我也希望能夠從另一個角度檢驗我自己，所以我完全配合就是了，隨便你們要把我帶到那裡去見什麼樣的人都沒有關係，只有一個條件——不要把我的頭殼打開就行了。」

於是一下子在咖啡館，一下子在泰式餐廳，一下子在保險公司，一下子在我住的旅館裡……。有時候只見一個人，有時候是一屋子的人，有時候卻是一個一個陸續進來的……。反正，我走到那兒，腦袋瓜就在我頭上，有什麼好怕好擔心的。

在臺北有個年紀和我相仿的男讀者總共聽了三十場左右的座談會，他在聽了差不多二十場的時候，約我到政大附近的河堤邊走走，他說：「我在問路咖啡聽了你大概二十場的座談會，你是每場規定二十五個人，一個人可以問兩個問題，我假設每場來了二十個人好了，一個人就只問一個問題，我也只聽了十五場，結果是什麼呢？我大概聽了三百個因果故事。如果說你是個會編故事的人，想要在這短短的時間內編三百個故事，那還眞是不簡單，偏偏你不像是個會隨便編故事的人，而我所聽到的三百個因果故事中沒有一個故事是重複的，光是這一點就很不簡單。」他是個企管碩士，也是個到處演講的人。

林醫師又是如何呢？他是這麼說的：「我發現你的因果故事確實是沒有重複，我也注意到從因果輪迴中很容易就知道對方的個性，所以要改變命運看起來好像眞的是要從改變個性開始做起。還有我發現你大部分是講過去世的因果，很少講未來可能會發生的事，另外我有個疑問，你在講對方個性的時候，反正不是你說的那個個性就是完全顚倒的個性，也就是說不管怎麼說，你都是對的。」

精神科醫師眞的不是當假的！我很喜歡和這種人做朋友，除了不迷信之外還會從當中找出問題的癥結所在。

「你沒有聽到未來的預測，那是因爲現場沒有人這麼問，在臺北很多人是問未來的事。可是我很不喜歡去預測未來，主要是因爲命運本來就不是定數，要改變未來其實是很容易的，就看當事人自己要怎麼做。對未來的預測絕對不是我的專長，我比較特別的是能夠看到過去世的因果，所以喜歡從因果的角度盡量想辦法勸大家改變個性，感恩惜福，珍惜當下，不要一天到晚老是在擔心未來會怎樣，因爲沒有耕耘就絕對沒有收穫。有一句話——『要投入，才能深入；要付出，才能傑出』就是最佳的說明。至於你說我在講對方個性的時候總是對的，這一點你的觀察很厲害，也百分之百正確。」

如果在過去世的因果故事中，甲欠乙錢且惡意不還，那麼在這一世中可能會有什麼樣的日子發生呢？一般來講，欠錢還錢就這麼簡單而已，只不過別忘了還得加上利息。假設在這一世裡甲轉世爲妻子，乙轉世爲丈夫，最簡單的兩種可能：

1.如果先生在過去世裡是個好人，做事循規蹈矩，只不過耳根子軟容易聽信別人的話，妻子就是在那一世裡騙他的錢而又不還錢的一個朋友。那麼也許我會說：「你先生雖然是個好人，但是耳根子軟因此做生意老是賺不到錢，你一天到晚要幫他籌錢，不是讓他投資就是替他還債。」

2.如果先生在過去世是個不務正業的人，偏偏妻子欠他錢且惡意不還，我可能會這麼說：「你先生常常不務正業，不賺錢回家不打緊，還在外頭欠了一屁股的債務，偏偏債權人又不放過你，你只好想盡辦法替你先生還錢。」

從以上兩個簡簡單單的例子，各位注意到什麼嗎？對！我們可以從過去世裡先生的行爲猜測到這一世裡他可能會有的個性，幾乎是一模一樣的個性吧！但是先生的個性不是重點，重點是在於做妻子的一定要爲先生「準備錢」而已。再換個角度來看看妻子的態度吧！

1.如果妻子在轉世的過程中知道自己錯了，不應該欠別人錢且惡意不還，於是她有心要改過，在這一世裡，先生投資錯誤時她會說：「我心疼他是個好人，只不過耳根子軟了點，所以我才會一再給他機會，替他籌錢讓他再投資，也才會傻傻的替他收拾爛攤子，畢竟他不是壞人，更何況我還有能力幫他的忙。」先生賭輸了，她也許都還會說：「就算是我前世欠他的吧！再苦的日子總是得熬過去，畢竟這個婚姻是我自己選擇的，怨不得別人。」滿心的認命與無奈。

2.如果妻子在轉世的過程中知道自己錯了（絕大部分都會知道對或錯，因爲只要調出黑盒子裡的資料就一切明白了），但卻無心認錯，也不想改過，在這一世裡，她還是得照樣替先生準備錢，只不過是心不甘情不願的。投資失敗時，做妻子的也許會這麼說：「怎麼勸他都沒有用，就只會聽朋友的話，每次投資每次賠錢，賠了錢就只會回來找我要錢，我又不是開銀行的，就算開銀行印鈔票也得等它乾。有時候不替他還，還會對我兇巴巴的給我臉色看，眞不知道前輩子我到底是做錯了什麼事，這一輩子得跟他跟得這麼累這麼可憐。早知道有今天，我就不嫁給他了，眞是瞎了眼倒了八輩子的楣。」如果是先生賭輸了錢，那麼這個做妻子的又可能會怎麼說呢？各位您就自己做文章吧！

這兩個解釋的重點又是什麼呢？主角還是妻子，差別就在於她是用什麼樣的態度來還債，「有心」還是「無心」呢？這個有心與無心的差別可就大多了，因爲有心還債，那麼無形之中就會還得快，也就是說還的時間會縮短，苦日子會提早結束。爲什麼會這樣呢？別忘了，我一再強調的——「態度」，態度也算入計分的標準。在這裡還有一個很重要的注意事項，那就是不要只顧著還債而忽視了——「阻礙了別人的成長」。爲什麼呢？如果這個做太太的除了有心還債以外，還會想辦法盡量規勸先生改過向善，那麼她就是一邊還一邊修，修什麼呢？「助人！」想辦法拉先生一把！助先生一臂之力！多給先生一次成長的機會！我相信當過去世因果債務還淸的時候，她也累積了不少的功德，改變了先生也改變了自己的命運。

所以嘛！看淸楚了吧！我所謂的「穩贏的因果解釋」是用在什麼地方呢？用在解釋一個人的「個性」。如果用在乙（債權人），幾乎是不會有什麼問題有什麼差錯的，用在甲（債務人）呢？如果我「猜」錯了對方的個性，那麼我就會改口說相反的個性，爲什麼呢？有心與無心而已。不是我會猜、我會找藉口、我懂心理學，也不是老天爺厲害，純粹是有心還債（或報恩或學習或其他等等）與無心還債而已。如果您是由有心到無心，或者是從無心到有心，那麼您的個性也是會一路跟著改變的。不過很可惜的是，從有心到無心的人一大票，從無心到有心的人卻是微乎其微，所以林醫師才會說我怎麼說都是我對。

如果我第一次猜錯了對方的個性，一旦改口說出相反的個性，常常「很不巧」的就被我說中了，但是這種機會並不多，什麼機會呢？要我改口說出相反個性的機會實在是並不多。爲什麼呢？當然了，祂們所呈現給我的畫面與訊息是個重點，這個倒是難不倒我，因爲畫面就來自各位的黑盒子，來自各位過去世的所思所作所爲，這是一種既定的事實，一旦過去世的資料調得出來，那麼錯誤的比率就相當有限。在這裡我想陳述的又是什麼呢？根據我十年來的經驗統計，人類眞的是種很健忘的動物。因爲當我看到畫面時，很直接的就依畫面的意思說出對方的個性，百分之九十八是不會有差錯的，也就是說百分之九十八的人是抱著「無心」來轉世，因此最多也只剩下百分之二的人抱著「有心改過」的心態來轉世。

我們常說「歷史會一再的重演」、「歷史是一連串的因果輪迴」，每個人的輪迴轉世又何嘗不是一種歷史的重演呢？我們常說「暴政必亡」，可是卻有一大堆的統治者前仆後繼的在效法。我們也說「歷史是一面鏡子」、「前車之鑑」、「不要重蹈覆轍」，可是有幾個人做到了呢？有幾個人從歷史的軌跡中學到了教訓並且避免掉災禍呢？百分之二而已！只有百分之二的人過得了關！想想一般人常說的一句民間俗話就可以更清楚我的意思了——「富不過三代」。

好了，各位！如果您覺得您的命運不好，請不要再責怪老天爺了，不妨先回過頭來想一想自己，想一想應該要如何痛下決心好好改變自己的個性！因果輪迴就是這樣，通不過的題目會一再的呈現，直到您學會了如何去應付如何去解決，否則您只好一世又一世的「被自己當掉」，一世又一世的「要求自己再來重修」。眞的不要隨隨便便「混日子」，日子不是用來混的，日子是用來學習與服務的。

# 因果輪迴轉世的基本觀念

這一章〈因果輪迴轉世的基本觀念〉與下一章〈應該注意的因果輪迴轉世重點〉應該是整本書的重點了，它的內容絕對不夠完整，也沒有辦法印證它是否完全正確，但確實是我通靈多年來的經驗累積，我很用心的把這些經驗做歸納與整理，作為出書以來的一個段落，希望它能對您有所幫助。其實說穿了還不是老生長談，說來說去，寫來寫去的還是那一套，只是我說歸說，寫歸寫，至於您要如何去做，就看您自己了，我幫不了任何忙。

您可以將《如來的小百合》、《蓮花時空悲智情》和這一本《茉莉花的女兒》三本書裡所列舉的因果故事仔細的看清楚，並試著找出每一篇之所以會成為

「因」、成爲「果」，到底是基於那些原則、那些重點。如此詳細的做比較與分析，只要您「投入」，就會「深入」，自然就能夠對因果輪迴轉世有相當程度的認識與體會。我在書裡面所列舉的因果故事是我印象比較深刻的，然而一般人常常犯錯的卻是一些最普遍的「小事」，例如貪心、偷竊等等。「勿以善小而不爲，勿以惡小而爲之」，您可以從您身邊的親朋好友中找出這些小事嗎？

有人把宗教信仰分爲不信、迷信、正信、邪信四種，何謂正信呢？見人見智，但是請記得——絕對可以不信，但是千萬不能迷信，更不能邪信。我一再強調，我不希望各位變成迷信的人，一旦迷信就很容易變成邪信。我希望各位能夠稍微用點腦筋想一想，很多的事情，不要隨隨便便的就跟著別人跟著流行起舞，只要讓自己的心平靜下來，讓自己的腦袋瓜稍微轉個彎，就能夠有所領悟，就能夠看出其中的端倪與破綻。

同樣的，我也不希望各位讀者被我的因果理論所迷惑而跟著我團團轉。如果您能夠從這一篇文章中找到不合理之處或覺得有必要補充者，歡迎一起來討論。不過像我這般能夠「通過去世因果」的人似乎並不是很多，假如您採用各種宗教經典上的敘述，或者是歷代高僧大德的名言，或者是五術中的專有名詞，那麼當我們碰在一起的時候，也只能雞同鴨講各說各話了。

爲了這一章的內容，我特別上網去找資料、翻閱百科全書，也試著到書店查相關的書籍，但是所得有限。本來我是害怕寫錯了誤導了大衆，沒想到卻發現沒有多少人發表對「因果論」的看法，有的也只是經書上的字句抄來抄去。我覺得很奇怪，市面上很多有關於宗教方面的書籍總是把經書上的句子這邊抄一句那邊抄一句，爲什麼就只有少數人試著用自己的觀察與分析寫下自己的看法呢？難道是害怕犯下欺師滅祖之大罪嗎？

時代在往前進，適用於那個時期的經典名句就一定適用於這個時代嗎？很簡單的一個例子，農業時代說多子多孫多福氣，後來說兩個孩子恰恰好，一個孩子不算少，而現在呢？又害怕人口結構斷層，擔心幾年後成爲老年人的世界。如果從科學的眼光來看也是一樣，以前說地球是方的，以前說……。我並不是希望大家以突破舊有的觀念爲目標，但是實在沒有必要被舊有的觀念所束縛，或引以爲榮或因此而指摘別人的不是。

因果輪迴轉世有那些基本觀念呢？在《如來的小百合》、《蓮花時空悲智情》兩本書中，我或多或少都有一點著墨（所以我才會建議各位從第一本照順序閱讀）。

## ＊何謂業障呢？

一般所謂的「業」，指的就是一個人的所思所作所為，包括所有的思想行為。而「業障」則是指過去（也許是過去世，也許是這一世）的思想行為而影響到這一世的種種障礙。「萬般帶不去，只有業隨身」，這句話一點也不假。

## ＊命運是定數嗎？

命運是定數嗎？絕對不是！就算是宿命論者也該思考一下，如果命運眞的絕對不能改變的話，那麼人生所有的努力純屬多餘，只要等著好運臨頭、惡運來報到，天天張大眼睛直等到老死就行了。

既然命運不是絕對的定數，姑且不管定數、不定數各佔了多少的比例，但是只要有不定數的存在，那麼就有機會改變，隨時隨地都有機會讓我們改變自己的命運。改變的方法是什麼呢？靠法力嗎？靠超渡嗎？靠賄賂嗎……，如果靠外力才可以改變，那麼似乎就不公平了。改變命運的方法只有八個字——「不假外求，反求諸己」，爲什麼呢？命運中的最高主宰者不是祂們、不是外星人，是你我自己。（請參考本書〈我的看法〉和《如來的小百合》的〈命運是定數嗎？〉）

## ＊因果輪迴轉世的精神是什麼呢？

「尊重生命，放眼宇宙」，每一世的生命雖然短暫，但是在這永續經營的宇宙中，唯有看得遠、拿得起、放得下的人，才能夠慈悲智慧雙修雙運，達到學習與服務的人生觀。

## ＊因果輪迴轉世的人生觀是什麼呢？

很簡單，「學習與服務」而已！在那些人的身上比較容易找到這兩種特質呢？在義工、志工們的身上，我們看到了眞正在修行的人。到那裡可以找到讓我們學習、讓我們服務的好道場呢?只要你願意學習只要你願意服務,浩瀚的宇宙中沒有一處不是修行的好道場。

## *守法的重要性

給自己一個謎題——爲什麼各位出生爲中國人(你要說是臺灣人也可以)呢?爲什麼不是瑞士人?不是阿富汗人呢?不是白人不是黑人而是黃種人呢?光是這個謎題就夠大家好好想個夠了。禪宗要人觀想「我是誰?」生生世世往上追蹤我到底是誰,可是信仰其他宗教的人又該從何種角度觀想這個問題呢?我建議各位觀想「爲什麼在這一世裡我會是個生長在臺灣的中國人呢?」

當您實在想不出答案的時候,不妨給自己一個假設——也許是這樣吧!老天爺讓我「存在」在這個地方,就是明明白白的表示「這個時間」、「這個空間」就是我修行的最佳道場。既然如此,那麼「守法」,守這個時空的法律,就是我最基本的修行戒律。祂們絕不會要求生長在美國的佛教徒必須照著臺灣的法律民情風俗走,也不允許臺灣的佛教徒只嚮往美國的生活而不遵守臺灣的法律。

所以不分國家與宗教，在力行宗教的戒律之前請先遵守自己國家的法律。別人怎麼說我不在乎，我的通靈經驗告訴我，遵守您自己「那個時空」的法律是第一要務，沒有任何的藉口，因爲如果有本事的話，那麼你爲什麼不選擇出生在別的地方呢？這就是重點，既已出生，就已註定。

## ＊蓋棺論定

既然出生就已經註定，沒有辦法改變出生的時空，同樣的道理可以用在「蓋棺論定」，既然死亡，就沒有辦法再改變死亡的時空，一切就依「這一剎那」作爲這個時空各位所思所爲的總結束。公平嗎？絕對公平，因爲一切的一切都是靠自己的所思所爲來評分的，沒有任何的人、事、物可以幫上一點忙。

舉例說吧，有錢人在死後他的子孫可以爲亡者大做超渡法會，而那些不得不跟著軍隊來到臺灣的老榮民們，孤孤單單的把他們的生命奉獻並葬身在中部橫貫公路、蘇花公路等等，你想，他們會變成孤魂野鬼嗎？不會的！在臺灣就算沒有任何一個人在乎他們的生死，沒有任何一個人爲他們超渡爲他們掉淚，天堂也絕對會替他們預留位子的。那些大做超渡法會的，死後一定上西方極樂世界嗎？我相當存疑，因爲再怎麼解釋都是不公平的。有些善心人士拾荒過一生，生前無一兒半女，臨終時又將一生的積蓄全部捐給慈善機構，沒有爲自己留下一塊錢做法會，這些人死了之後，應該到那裡去報到呢？

## ＊凡走過必留下痕跡

好了，自己爲自己的這一生負責，老天爺又怎麼知道我們到底做了些什麼呢？回頭看看《如來的小百合》中的〈超級電腦〉與〈黑盒子〉那兩章吧！在這裡就不再多做說明。黑盒子把各位所有的起心動念和行爲「全都錄」，所以有了疑問或不滿意，很簡單！只要把當時的現場資料調出來看看，就可以印證了，完全公平公開公正，自由平等民主。既然如此，我們又該如何爲自己的黑盒子添加些耐人深思的好內涵呢？何妨對自己多一份要求與期許，對別人多一份關懷與包容！

黑盒子「全都錄」，錄的是我們自己，凡走過必留下痕跡，也因爲錄的是自己的思想自己的所作所爲，所以任何一個人都有能力去改變自己黑盒子的內容，繼而改變自己的命運。我相信堅持「宿命論」的朋友也不會否認人一生的命運絕對不是百分之百的一成不變，如果一點都無法改變，那麼轉世爲人又有什麼意思呢？老天爺隨時隨地留給我們希望，也留給我們彌補的機會，就端看我們自己要不要把握。

## ＊自己走自己的因果

常聽到有人說：「那是你的祖先生前做人不夠忠厚老實，又愛吃魚吃肉殺生太多，所以才會害得你們這些子孫受苦受難。」換到現在這個時代，如果你考上臺大，註冊的時候，教務長告訴你：「根據我們的調查，你的父親是個作奸犯科的死刑犯，所以本校無法讓你入學。」請問你甘心嗎？你的雙親做生意失敗了，債權人卻要你爲父母償債，你甘心嗎？你的兒子是個智障兒，你到銀行想要貸款做生意，承辦人員卻推說因爲你有個智障的孩子，所以不能貸款給你，你甘心嗎？結論是——「自己造的因自己嚐，別人絕對幫不上忙」。說白一點就是個人走個人的因果，絕沒有什麼禍延子孫、父債子還、子報父仇的事。

## ＊長期投資永續經營

如果這一世出生爲阿富汗人，在這個時候內亂外患又加上大地震，日子過得非常悲慘，也許他們心裡會想著：「爲什麼我不出生在別的國家呢？」同樣的問題或許也出現在你我的腦海中。既已出生就已註定，如果這一世沒有辦法改變，那麼下一世有沒有機會可以改變呢？當然有的！因爲生命是生生世世永續經營的。舉個最平凡的例子吧！一個搶劫犯爲了搶錢而不小心殺死了一個人，他想，反正殺死一個人被抓到是判死刑，多殺幾個還不是一樣的結果，就豁出去了吧！於是他一不做二不休的繼續胡亂下去。如果說殺一個人之後，可以用他自己的一條生命去償還，那麼後來被他殺的那幾個人又要找誰去償命呢？如果您是第二個被殺死的人，您以爲該如何是好呢？

因果輪迴轉世最珍貴的地方也就是在這裡。生生世世，世世生生，它讓每個人有努力的機會，永遠有個目標可以努力而從不嫌晚。如果我這一世是阿富汗人，無須怨天也不用怨人，因爲這是改變不了的事實，但是我可以自己設定目標，做個長期投資——我希望來生可以當個瑞士人。於是從現在開始，就從最起碼的奉公守法開始，盡職的扮演好每一個身分的角色，盡量學習盡量服務……一定會有那麼一世，我可以出生在瑞士，做個瑞士人。只是不知道那個時空的瑞士是否還是個風景秀麗的中立國。

也因爲是長期投資永續經營，生生世世不間斷，於是這一世的過錯（另一種的錯誤投資），只要在這一世沒有處理好，那麼到了來生，一樣是必須親自來道歉親自來償還的。最常聽到的一句話也是眞正的至理名言——「善有善報，惡有惡報，不是不報，時間未到」。

# 應該注意的因果輪迴轉世重點

在日常生活中，對於因果輪迴轉世有那些應該要特別注意的重點呢？

## ＊改變個性的重要性

從很多的因果故事中，我們可以知道過去世的「因」之所以會變成這一世的「果」，大部分都是因為個性的因素所引起的。因果，就像平日我們的思想行爲一樣，思想影響著行爲，而思想就是我們的個性所引發出來的。

一個個性貪小便宜的人，也許他買東西的時候，就喜歡與賣方殺價或要求賣方附送一些額外的贈品，對方如果不願意降價，因而引起雙方的不滿，繼而動口罵髒話動手打人……，也許因此就造成了未來世的一個「因」。

一個個性馬虎、凡事不求甚解甚至於迷信的人，在這一世裡未必會吃虧，但是到了未來世，他所累積的錯誤經驗勢必無法讓他在各方面能夠盡情發揮。

一個愛情佔有慾強烈或懷疑心重的人，也許會因爲懷疑對方移情別戀而犯下了不可原諒的錯誤行爲，因此造成了彼此生生世世的遺憾。

一個個性自大且自以爲是的人，出口就愛損人藉以凸顯自己的高人一等，也許在有意無意之間，用言語傷害了很多人而不自知。如果到了未來世他還是習性不改，想當然爾，怎會有人願意跟他做朋友呢？如果他知錯並且改善不良的個性，相信人緣一定會進步不少。不過別忘了，不管他的個性改或不改，出口傷人的「因」畢竟已經造成，這個「果」也就一定躲不掉了。關於這一點，我希望各位讀者能夠回過頭，重新看一遍〈穩贏的因果解釋〉，您就會體會到這當中的關鍵性。

隨手拈來，處處都是因爲「個性」的問題而出了問題，不妨稍微注意一下，男女兩人分手的原因往往不就是因爲個性不合所引起的嗎？如果一個人的個性是「良好」的，那麼我們可以發現這個主人翁似乎一切都還滿順的。所以讀者不難了解

「個性」這個因素，對於一個人的命運確實有相當大的影響。我們應該這麼說，命運的確是被個性所左右。既然如此，不管您知不知道您過去世的因果故事是如何，您都應該知道用什麼方法去改變您自己的命運——不妨讓自己擁有更「良好」的個性吧！例如樂觀進取、謙虛包容、樂善好施、守分盡責、有公德心等等。

在我的經驗中，一般人最常有的「不良」個性是什麼呢？「貪心」、「計較」！不管是大貪還是小貪，都會影響到現在世或未來世的命運。絕大部分的不良個性都是「貪」字所帶來的後遺症、併發症，就連計較也是因爲心有所貪而引起的。既貪心又愛計較，怎麼會有滿足、會有心安理得的時候呢？貪心，一定會造成別人的損失，業障自然就出現了；既然會貪心，那麼根本就無法「放下」，無法放下，就不用談什麼「修行」了。「不貪不取不求」六個字，很好寫也很好唸，偏偏卻是最難做到的。如果您能突破貪心這一個關卡，恭喜您！天堂離您很近了！

## ＊瞻前顧後謹言愼行

往往我們只注意到行爲的重要性，卻忽略了言語傷人的嚴重性。舉個最簡單的例子，拿刀子殺死人才是犯罪，但是用言語刺激他人害他人自殺身亡，假使自殺的人不說明自殺的原因，請問法官大人對這個用言語傷人的加害者要如何宣判呢？在法律上也許沒有任何證據可以拘捕這個人，但是在因果論裡，黑盒子淸淸楚楚的「全都錄」，有辦法逃得掉嗎？再舉個例，做老師的有時候用比較尖酸刻薄的話語責備學生，罵學生白癡、智障、朽木、IQ零蛋等等，當然了，這絕對無法在學生有形的身體上留下任何的傷痕，但是卻有可能讓學生一輩子生活在殘留的陰影裡，繼而自我放棄自我毀滅。所以千萬要謹言——不綺語、不兩舌、不妄語、不惡口。

愼行呢？這個不用我多做說明，相信大家都知道該如何處理，「小不忍則亂大謀」、「失之毫釐差之千里」，這是常勸人小心行事的佳句。我要特別強調的是我從因果故事中所得到的訊息，這幾個重點對未來的命運會有很大的影響，那些重點呢？第一，一個行爲在做之前一定要三思，想想自己也想想別人。第二，做的時候要秉持著守時守信守法的基本原則，不要心存僥倖。第三，注意所有的小細節，不要「混」的生活態度。第四，就算是做錯了，也一定要誠實、負責的面對結果，好好的收拾善後。

一般人最常犯的錯誤是不守信，也就是言行不一致，還有做起事來馬馬虎虎、隨隨便便就了事，一旦做錯了也不太願意承認，就算承認了也不好好的收拾善後。

我最常用的例子就是駕車撞人，如果不小心駕車撞了人，不但不下車處理還加速逃逸，你以爲沒有人知道，可是什麼都騙不過黑盒子，如果你下車處理，雖然明知會吃上官司甚至賠上一大筆錢，但是勇於負責的態度，也許在這一世裡會讓你不好過，但是這筆債務還淸了，到了未來世你就不受它的影響。如果這一世你不還，那麼到了未來世，本金加利息，所受的罪一定比這一世還要辛苦，也許是用「金錢」還，也許還得加上「精神」方面的債務，說不定在這一世裡就已經「被自己」所判「啃蝕心靈」的罪刑所折磨。何苦呢？

再舉個更詳細的例子吧！有些人喜歡騎機車從後面搶劫別人的皮包，他以爲只不過是搶了別人的金錢而已，然而事實又是如何呢？被搶的這個人也許從此疑神疑鬼，一點安全感也沒有，甚至於還得看精神科吃藥，提心吊膽的過日子。這種心頭上的無奈與痛苦又豈是他人可以體會的。各位不妨想想，這種因果債要怎麼個算法？怎麼個還法呢？金錢彌補得了嗎？如果我是被害人，寧可雙手把錢捧上去送給你，我也不願意提著心吊著膽，疑神疑鬼的過一輩子。

再多舉幾個例子吧，貪小便宜、上班打混、偷工減料……，好像不貪一下、不打混、不偷工減料就是不正常。但是因爲偷工減料而產生的後遺症呢？拿九二一台北的東星大樓來說吧，多少條的人命因此而喪生，多少個家庭因此而破碎。國賠就能解決得了問題嗎？收拾善後眞的是一件大事，人死之前的「放下」，是自己對自己的收拾善後，同樣的，在您尚存一口氣時，請爲您所做的每一件事，好好的收拾善後。在因果故事中，我看到了太多太多的惡「果」是因爲過去世沒有好好收拾善後的「因」所引起的，多到我以爲太平常了，但也實在是太嚴重了。

舉個例，你和朋友一起到海邊遊玩，朋友一時興起跳入海水中游泳，但卻發生了意外，他大聲求救，你因爲一時害怕又不會游泳，拔腿就跑……。結果呢？朋友溺斃了。老天爺覺得你錯了，錯在那裡呢？你可以害怕，可以不會游泳，也可以跑，但是要去找人來救朋友，而不是就此逃掉了。在這個事件中，你沒有學會尊重生命，沒有適時的「拉人一把，助人一臂之力」，生命是很寶貴的，不管是自己的還是別人的。因此你「應該」還會和你的朋友一起來轉世，誰欠誰呢？想也知道。

所以，只要在一開始的時候，就用負責任的態度去處理每一件事情，我想大概也沒有什麼事必須留給您「親自」善後了。我談過了改變個性的重要性，這一段所講的，就是希望各位能夠從生活中的小細節裡發現自己的個性、自己的優點、自己的缺點，然後好好的想一想，該改的就改，最重要的是一定要學會用「勇於負責任的態度」去面對自己的所想所作所爲。

## ＊尊重生命

尊重生命是因果論裡最重要的一個信念，不管生命多麼卑微。在這裡我們姑且不談其他的生命，只談「人」就好了，即使最貧窮的人也有做人的尊嚴。記得有句話嗎？「自愛而後人愛，自重而後人重；愛人者人恆愛之，自重者人當重之」，傷人者呢？就這麼簡單而已，換個角度假想自己就是對方好了，您希望別人怎麼對待您呢？這是一個基本的參考方法。因果論就是希望我們待人如己，會愛自己也要會愛別人尊重別人。尊重宇宙中的萬事萬物，每一事物的發生絕非偶然，就算是偶然，也該學會如何從這偶然中爭取學習與服務的機會。

談到尊重生命首當尊重自己的生命，也唯有先尊重自己的生命才會更進一步尊重別人的生命。如何尊重自己的生命呢？第一，不要用自殺來解脫或逃避問題，第二，重視自己身體的健康，注意飲食多運動，有病就該看醫生。以上兩點是祂們給我的訊息。不要以為我在開玩笑，這是再正確不過了。生活上原本就充滿了很多的不如意，沒有必要用自殺來解決問題；再說為了活得有意義，能夠達到學習與服務的人生觀，擁有健康的身體絕對是第一要件。

目前市面上流行很多的減肥方法，說穿了就只是為了貪口慾，多吃了幾口，就得多花好幾萬元去消除多出來的幾公斤贅肉，如此的一來一去，何必多此一舉呢？少吃一口，多運動一下不就好了。

像我這個年紀，常常會有腰痠背痛的情形，一般的說法是勸人要多休息，我呢？那是一種警訊，那是我的身體在告訴我，我太久沒有運動了，只要我趕快運動個二、三十分鐘，促進血液循環，一切病痛就不見了（我是怪胎）。所以我每天盡量抽出一、二十分鐘做些拉拉筋、擺擺腰、轉轉脖子……全身伸展一番的柔軟體操。什麼樣的動作呢？我自己想的！反正盡量讓自己的關節能夠靈活運用就是了。沒有時間也沒有地點的限制，看電視的時候可以動，開車等紅綠燈的時候也可以動，有時候趁著為人服務的空檔我都不忘動一動。我可不是稍微的動一動而已，我可是很認真的在讓自己「運動」，所以我身體的柔軟度還不錯。

如果有機會一個人獨自行走的話，我會盡量大步疾走，走得全身發熱出汗。記得以前上課、上班的時候，我有一個怪習慣，不是提早一站上下車，而是提前好幾站上下車，這麼一來我就得多走個二、三十分鐘的路程。一個人高興怎麼走就怎麼走，一樂也！我以爲自己的身體只有靠自己來保養，沒有人能夠幫得了我，我也不想讓自己的身體太早成爲別人的負擔，這種「自我學習、自我服務」的觀念，就像自己的命運只能靠自己有心去改變一樣——完全操之在我。

至於生了病又該如何呢？千萬不要迷信，不要道聽塗說，乖乖的去掛號看正牌醫生就是了，不管是中醫或西醫都請您找有執照的醫生看病，不要隨隨便便拿自己或別人的身體當試驗品，到處求符咒、施法、求仙丹、求偏方……而不走最明智又有保險的一條路。尤其有些「亂雞婆」的人士，自以爲是一番好心報仙丹報偏方，卻不知道如果誤了別人的生命，那所造成的因果是很可怕的。

別人我是不知道，我自己會通靈卻不敢拿別人的生命開玩笑，寧可讓人說我算不準或不會算，我都會加上一句話：「你一定要記得去看醫生，看看醫生怎麼說，看看用現代化的儀器能夠查出什麼病兆。我算的不一定準，只能給你作個參考，一定要去看醫生，如果檢查出來一切正常沒有病，那不是更好嗎？如果查出來和我所說的一樣，那你就要更加注意了，如果查出來和我所說的不一樣，那你應該是要聽醫生的建議才對。」

當您用正確的態度與方法關心自己的生命之後，自然而然的您就知道該如何去關懷與尊重別人的生命，然後就是關心周遭生物的生命，關心宇宙中的萬事萬物了。

## ＊不要凡事都推給因果

我們談過對自己的所思所爲要勇於負責，然而卻有很多人爲了逃避自己該負的責任，動不動就把一切歸於「那是過去世的因果」、「那一定是過去世他欠我的」，眞是冤枉老天爺了。因果論採用的計算方法是永續經營制，每一世總是在加加減減中度過。在這加加減減的過程中，請注意一個很特別的地方，那就是或多或少會有「歸零」的時候，想一想，一開始的時候不就是從零開始計算起的嗎？

你我本來不認識，有一世我向你借了二十萬元不還，於是到了第二世連本帶利我得還你二十五萬，結果你騙了我六十萬，如此一來不但我欠你的二十五萬還清了，你還倒欠我三十五萬。好了，到了第三世時，你被我惡意倒會了四十二萬，剛好是三十五萬連本帶利的金額，這個時候，這筆從第一世開始的金錢債剛好「歸零」了。如果到了這一世你借錢給我而我無心償還，我根本就沒有權利說：「搞不好是你上一世欠我的，所以我根本就不想還你錢。」

這是一個很簡單的說明，然而實際上呢？如果只是金錢就好算了，但是如果牽涉到感情牽涉到生命，那豈是金錢可以衡量、可以解決的呢？感情和生命又是如何計算呢？一段感情的傷害可以用多少金錢彌補呢？一條人命又值多少價值呢？一個家庭因此而受到的損失又豈能用有形的物質彌補來取代呢？我們既然不知道因果論裡「業障」的計算標準是如何，那又應該如何自保呢？「以不變應萬變」，如果我不傷害人不就萬事如意了嗎？有什麼好怕的。

就好像看到了警察有什麼好怕好躲好逃的呢？如果沒有犯法，我就敢昂頭闊步從警察面前大大方方走過去，萬一警察想找我麻煩的話，局裡坐坐就局裡坐，誰怕誰啊！法律是用來保護守法的人，懲處不守法的人。

不過在這裡出了一點點問題，想想看，那裡出了毛病呢？法律基本上只是管到「行為」管不到「思想」，有時候連「言語」也起不了多大的作用，例如別人用言語傷害了你，除非你能舉證否則法官也難辦案。又例如你意圖搶劫銀行，只是到了銀行門口碰到了抗議人潮，礙手礙腳的無法行事而作罷，警察就算臨檢查到了你的犯案工具，法官能因此就將你判刑嗎？人世間是行不通的，但是有了黑盒子，有了超級電腦，你想騙誰啊！

不要凡事都推給因果，那麼在不知道因果的情況之下，我們又應該如何驅凶避邪、招福納財呢？「行善」是最佳的破解法，衆善奉行諸惡莫做，勿以善小而不爲，勿以惡小而爲之。原因就是因爲生命是永續經營的。也許剛開始的時候您是有所爲而爲，但是有做總比沒做來得好，漸漸的您會發現行善所帶給您的是無法言喻的快樂與充實感。良性循環的影響之下，您的個性、心境改變了，就算業障當前，您也會用歡喜受甘心還的心態來還債，如果沒有業障，那更是修行的主要法門。

行善並不難，也不一定要用金錢布施，生活中到處都有讓我們行善的機會，我常常勸人如果方便的話，可就近到家裡或公司附近的學校，當上下課維持交通的義工，或是做點社區環保、社區服務等等。我有個姑姑，家中有中風的公公必須照顧，她無法外出，於是她做什麼呢？幫視障的人士唸書，把好書的內容一字一字唸，一字一字錄到錄音帶中……。我兩個妹妹呢？一個開車，一個下車幫忙創世植物人安養基金會收集發票。

眾善奉行諸惡莫做，勿以善小而不爲，勿以惡小而爲之。

## ＊一旦啓動無法停止直到結束

「我早點來找你，早點認識你就好了。」這是很多人對我說的一句話，爲什麼會相見恨晚呢？因爲對方的因果已經啓動停不下來了。話再說淸楚一點，就算我們早就認識，在事發之前就千叮萬囑的提醒你，你會相信嗎？你會預防嗎？少之又少的人會把我的預告當一回事，好聽的大概都會記得，不好聽的出了我的門就忘光了。等到碰到挫折了，才又猛然想起好像那個陳太太曾經有這麼說過，沒用的！太晚了！我之所以在爲人服務的時候，都會用寫的再讓對方帶回去的理由，就是希望能帶給您一點警示作用——因果一旦啓動，任誰也無法讓它停下來的。唯一可以改變的，就只是如何讓這一筆因果債務提早結束，而且結束得漂漂亮亮。

就像有人告訴你，你先生不好。是啊！是不太好，每天早出晚歸的，你也想離婚，但是一定離得成嗎？孩子又該怎麼辦呢？

又有人告訴你，你的孩子不太好帶。是啊！眞的很不好帶，但是都已經生下來了，又能怎麼辦呢？可以把他再塞回肚子裡去嗎？可以拜託老天爺重新再換一個來嗎？

又有一個人告訴你了，他說你的這個男朋友不好，以後容易有外遇又不顧家。糟糕！這還得了！問題是這是結婚以後的事，你現在正在談戀愛，你會相信嗎？如果相信了，那麼盡量想辦法好聚好散，如果不相信，那只好結婚之後，碰到了狀況再說吧！可是話又說回來，這個算命的算得準嗎？如果「註定」是你欠對方的，你逃得掉嗎？又有誰能夠告訴我們有那一些命運是「註定」的呢？

兵來將擋水來土掩，既然逃不掉只好逆來順受，就像不喜歡參加馬拉松賽跑，但是不得不上場而又不能半途退出的時候，只好想辦法把這一大段的長距離給跑完。慢慢跑嗎？反正早晚總是得靠自己一個人跑完；還是趕快跑完再休息呢？問題是你的體力、經驗是否足以應付這一次的馬拉松賽跑呢？當過去世因果出現的時候，就像是「不得不」上場「考」一場馬拉松一樣，還有時間的限制呢，不及格的話，下次還得重考，多累啊！我想沒有幾個人願意重考吧！趕快想想辦法吧！

「有心與無心」是控制時間的最大因素，假使依一般正常標準必須花費十五年才能還債完畢或修行有所成就的話，如果您有心修行有心還債的話，也許十年、十二年就可以過關。如果您無心又拖拖拉拉的，也許三十年過去了，您都還過不了一半呢！

記得我在學生時代很喜歡運動，常常參加賽跑，其中總是有一大段的距離實在是在跟自己過不去，每次我都想往「橫」的一跑，跑出跑道外，棄權算了，可是下一棒的同學還在等著我呢！好吧！想個法子吧！於是邊跑邊在心裡頭唱歌，照著歌曲的節奏一步一步的跑下去，雖然邊跑邊唱實在很喘，但是每次唱每次都讓我跑完全程。

如果您能夠換個角度換個心境，用欣賞、學習的角度看待問題，用眞心改過、認眞修行的心態面對生活上的逆境，相信您一定可以日日是好日，年年是好年。這是有心與無心的差別。

「早還與晚還」又有什麼差別呢？如果說，您必須親自償還您的小孩五年的時間，您想在什麼時候還會比較妥當呢？在孩子幼小無知的時候呢？在他們青少年的叛逆期呢？在他們事業或婚姻出現了危機的時候呢？還是在他們生病脆弱的時候呢？我是選擇第一種，在孩子幼小無知的時候償還，爲什麼呢？

在他們零歲到五歲的階段我盡全力自己花時間花精力養育他們，照顧他們的身體，教育他們一些該注意的常識或知識，奠定好他們的人格基礎，讓他們在安全感俱足的環境下成長。他們的生理心理，他們的體力智力我通通兼顧到了，雖然整整花了我五年的時間才放手，但是接下去的日子呢？可以讓我操心的，實在是所剩很有限了。這是我自己一手帶三個孩子長大的經驗談，我把「吃苦當做吃補」，冥冥之中卻也印證了因果論中非常強調的「早還早了業早開心」。

如果您是選擇在孩子青少年的時期償還這一筆因果債，那可能會碰到什麼樣的結果呢？也許是孩子不學好變壞了或離家出走或……，總之，一樣的，您爲孩子整整操心了五年。如果選擇在他們事業或婚姻出現危機的時候呢？生意失敗了，鬧婚變了，也許孩子不會找你訴苦不會找你要錢，但是知道孩子出了問題，做父母的能不煩心嗎？整整的也是煩了五年。我這種舉例各位讀者能夠明瞭嗎？

所以在某些方面我是滿女性化的，我滿堅持如果經濟許可的話，無論如何請盡量花點心思自己養育您心愛的孩子長大，這一段時光的有心與用心是絕對值得的。您會發現孩子長大了，您也成熟了不少，我不希望您錯過這難得的好機會，機會一失是永不回頭的，因爲孩子的童年只有一次。尤其是現在已有「育嬰假」，如果這個育嬰假可以延長爲三年，而且不限於媽媽，也就是說爸爸或媽媽任何一方都可提出申請，都可以親自撫育孩子長大（何妨爸爸一年半，媽媽一年半），相信幾年之後，青少年所造成的社會亂象應該可以減少很多。

## ＊換個角度思考問題

這個主題的例子可參考《蓮花時空悲智情》的〈換個角度〉那一章，在此就不再多做說明。常聽人說：「忍一口氣，風平浪靜，退一步想，海闊天空」，是否我們可以把它改成「謹言慎行，風平浪靜，換個角度，海闊天空」。

因果輪迴轉世採用的多半是角色互換的心靈體驗，前世我害了你，這一世有可能就是我被你害，雖然方法是如此，但別忘了因果也有歸零的時候，所以絕對不能將自己的不幸或過錯推給過去世或是作爲犯罪的藉口。何妨換個角度將心比心的站在對方的立場替他想一想，假使把你換成了他，你希望別人如何對待你呢？你希望得到什麼樣的反應呢？常常如此推演，久而久之自然就會成習慣，自然就會在爲自己打算之前，先考慮一下別人的感受。

有時候這樣子的思考模式還可以增加各位的想像空間，但是請盡量往好的、光明的那一方面去假設，不要盡是往陰暗面去傷腦筋。有些事情只要反過來想一想，就會豁然開朗，想想「人生的波折有多少，收穫就有多少。」同樣的，「想要改變別人，一定先得要改變自己。」

## ＊學習與服務

《如來的小百合》的封面上印著一行字「生命原來有因有果，生生世世的歷程原來都是學習」，這一句話是聯經的林主編看完整個稿子之後她對因果所下的結論，事實也就是如此，學習與服務的確是因果論的人生觀。

我在《如來的小百合》的〈祂們與我們〉中提過，我是被一位「老菩薩」所感動而願意站出來亮相的。我問祂：「您已經這麼老了，爲什麼祂們還要派您來服務呢？」祂是這樣回答我的：「在我們這一界，從來就沒有想過要安享餘年的，我們總以爲只要還有被利用的殘餘價值，我們都會很樂意去付出的。記得！一定要學會付出！」我還不到一般退休的年齡，也還不夠格談剩餘價值，以我現在的狀況，我只能說，只要時間、體力許可的話，我就盡力去做。

學習與服務是互為因果的，以我的例子而言，當我用我的通靈能力為人「服務」的時候，透過各位的因果故事，我「學習」到很多很多一般人無法體會到的因果奧秘。我再利用累積到的因果故事，整理之後出書，讓其他有興趣的人士可以一探因果的究竟，我想這是另外的一種「服務」。等我收到讀者們對書中內容的看法時，不管是贊同或是持不同的見解，甚至於有讀者告訴我他們的親身體驗……這不又是我的另一種「學習」機會嗎？我再把別人的經驗告訴其他的人或加入下一本書裡，讓更多的人也能從中獲益，「服務」又出現了……。

什麼是因？什麼是果？重要嗎？非得要知道因是什麼？果是什麼？才能讓我們有所覺悟有所決定嗎？

我常問：「有沒有人知道修行好的人大概都住在那裡呢？」在那裡呢？在深山嗎？在寺廟裡嗎？在學術殿堂嗎？在政府機關的高層嗎……都不是！眞正修行好的人就在你我身邊，你我身邊的一般小老百姓。你是其中之一，他也是其中之一，我也不甘示弱，我也是！

只要在生活中盡量扮演好老天爺賜給你的每一個「合法」角色，不管這一世是欠債還債，是感恩報恩，是修行或魔考，只要「不要混」，只要「盡力去做」，每一個人都可以在修行這個學分上拿到最高分。相信嗎？認眞、敬業的人絕對是最美最帥的！每個人都有自己的本分，你可以隨便湊個數交差了事，相反的，你也可以很認眞很用心的去完成你的本分。至於要用什麼樣的「態度」，全看你自己了！因爲沒有人可以替你做決定、替你去執行。生生世世輪迴轉世的意義就在這裡，每個人都得憑自己的本事走出自己的一條路，活出自己的一片天空。所以，不要小看了自己，只要把握住每一個學習與服務的機會，你就是大人物。

推動「安寧緩和醫療」的趙可式女士曾說過這麼一段話：「生死對我來說，沒有一點害怕，一絲恐懼，隨時就緒，而且我隨時"ready"準備好。我們每個人都在修人生的 PHD：P－persistent 做事情要有毅力、堅持、決心；H－humility 要謙虛，其實所做的事，不過是盡本分而已，沒什麼好誇耀的；D－devotion 對工作有熱誠，那種奉獻、熱情，別人是可以體會得到的。所以這 PHD 就是人生一輩子要修的。」

有人說：「昨天僅僅是歷史，明天是神秘的未知數，只有今天才是神賜的禮物。」不是嗎？九一〇的時候，除了恐怖分子外，有誰知道九一一會發生影響全球的暴力攻擊恐怖事件呢？九二〇的時候，全臺灣的人又有誰知道九二一會發生影響全臺灣的大地震呢？這就是個神秘的未知數，到了九一二、九二二時，九一一、九二一就已經是歷史了。

如果說「學習」本身就是一種滿足，那麼當您「服務」的時候，也許就是教學相長了。人生是應該要有目的才不致於迷失了方向，但是不應該忽略了到達目的地的過程，每一個過程都值得我們學習與珍惜，因爲生命是一天一天的過程所累積而成的。只有今天，只有現在，我們才能夠掌握得住，請用感恩惜福的心情去迎接每一個到來的今天，請用學習與服務的態度去充實您的每一個今天。「人外有人，天外有天」，人世間本來就是一個絕佳的修行道場，就看我們如何利用了。

## ＊悲智雙修雙運，不要阻礙別人的成長

在前兩本書裡，我一再的說明悲智雙修雙運的重要性，這裡就不再多所著墨。過去世我害你，這一世可能我會被你害，這樣子的冤冤相報何時了呢？難道因果論是要我們報仇來又報仇去的嗎？那和恐怖分子又有什麼差別呢？在《蓮花時空悲智情》裡祂們說明了原諒別人的重要性，不但不希望我們冤冤相報，更希望我們

能夠多給別人一個悔過與重生的機會。在這裡我要說明的是，慈悲絕對是必要的，但不要過頭了，如果因爲慈悲而阻礙了別人的成長，那也得背負因果，這個觀念比較特別也可能是讀者比較難以想像的，但是在生活中，我們卻常常如此而不自知。

有些家長溺愛孩子，讓孩子一直坐在電腦、電視機前而忽略了孩子們的體格發展，您說家長沒有錯嗎？孩子觸犯了法律，父母不但沒有趁此機會和孩子一起反省，反而爲了孩子而想盡辦法去鑽法律的漏洞或逃避法律的制裁，孩子會因爲這一次的錯誤而學到教訓嗎？還是有恃無恐變本加厲呢？父母的這種行爲不就是阻礙了孩子的成長嗎？有錯嗎？太多太多的因果故事告訴我這種父母眞的是有錯，在未來世裡他們必須爲這種阻礙孩子的成長而付出很大的代價。

這種因果觀念讓我警覺到要扮演好老天爺賜給我們的每一個合法角色，眞的是要很有心，很用心！所以我才會一再的強調：「孩子不是生來玩的，孩子是生來養育生來教育的。」

用在朋友呢？朋友玩六合彩輸了錢而向你借錢，該借呢？還是狠下心來不借給他呢？如果有一天，他的生活突然出了問題，也許你該伸出援手，不過不要忘了「教育他」一下。如果一而再、再而三的出問題，你一再的拿錢濟助他，對不起！

一點功德也沒有，反而是犯了阻礙別人成長的過錯。爲什麼呢？一旦你不借錢給他，他就沒有錢可以去簽六合彩，反而被生活、被家庭逼得只好乖乖的去上班也說不定。你或許會問，那豈不犯了見死不救的罪行嗎？各位您以爲呢？一天到晚只想賭博，輸了錢沒錢吃飯，這種人值得我去救他嗎？我有罪嗎？

姑且讓我們一起動動腦想想看，想想「佛指」來臺所引發的關注與瞻禮的盛況，國人應該從那一個角度來看待這一件大事呢？從慈悲的角度來說，睹物思情，我們可以藉由觀禮佛指而心生向佛；從智慧的角度來說，佛自心中來，一定要見到佛指才能有所覺有所悟嗎？從現實的角度來說，九二一的災民還沒有完全站起來，如果將這些金錢運用在災民身上或臺灣這塊土地上，您以爲如何呢？

所以慈悲與智慧一定要雙修雙運，不要傻乎乎的別人說什麼就是什麼，也不要以爲你當面說別人的不對，就會很不好意思，就會得罪別人。老天爺就是屬於那種心裡想什麼就表現出什麼的「人」。祂們贏我們什麼呢？是祂們有「他心通」的能力，因爲他心通，所以沒有什麼可隱瞞的，心裡想什麼就是什麼，也不用嘴巴再把它說出來。

「世間人」就是這一點很悲哀，心裡想的是一回事，嘴巴說出來的卻往往不是那麼一回事，搞到後來連做出來的都不知道會變成是什麼事了。爲什麼不試著學學祂們呢？這也是智慧的一種，因爲當您學會了用「誠實」來待人處事，走到那裡，都是那一套，不必見人說人話，見鬼說鬼話，還必須用一個謊言來圓另一個謊言，最後連自己都被自己的謊言給弄迷糊了。

「心誠則靈」，如果您看過前兩本書，您就會知道這一句話並不太正確，在這裡就請您回想一下，爲什麼我不說「心誠則靈」而說「心正則靈」呢？智慧是知識與生活歷練的累積，爲了增進自己的智慧以免阻礙了別人的成長，實在是有必要好好的面對生活上的點點滴滴，盡量充實自己的知識。「活到老學到老」並不只是老生常談，就連祂們也奉爲圭臬的。

## ＊勿隨便許願或發誓

關於這一點也是較難以令人信服的一種觀念，若不是我看多了因果故事，打死我都不見得會相信。賣個關子如何，等讀者看到「是因？是果？」裡的〈許願的結果〉那一小篇時，您自然就會明白了，在這裡我先說明如何「破解曾經許過的願望」。曾經有很多人聽完了許願的因果故事之後，憂心忡忡的對我說：「怎麼辦？我對我的男（女）朋友也曾經這樣說過，說我下輩子一定要和他結婚，可是我現在已經後悔了，聽了你這個故事之後，我更加害怕，我不想到了下一世還和他有任何的瓜葛。可是我們已經許願了，怎麼辦呢？」

天啊！還好！我躲過了！剛結婚前幾年，我常常對先生說：「我下輩子再嫁給你好不好呢？」他總是這麼說：「你的脾氣這麼兇，我怎麼敢呢？就算敢我也不做男的，如果我做女人你做男人，那就可以再結婚一次。」我回答：「不行！我還是比較喜歡當女人。」所以好多年過去了，這個問題一直談不攏。近些年來，他變了，我也變了，他說：「我下輩子想再娶妳，請妳嫁給我好不好呢？」「以前我拜託你娶我，你不要，現在我也不會答應。」其實我是被別人的因果故事給嚇乖了，也許到了下一世我有更好的選擇，他也有更佳的伴侶，何必現在就給自己設限呢？

怎麼破解呢？有沒有效呢？我也不知道，只是這個方法是祂們教我的——對著上天，眞心的對祂們說出你心裡的話（別忘了，一定要誠實！雖然祂們有他心通，但是由你自己親口告訴祂們，起碼這是一種基本的禮貌），告訴祂們；希望祂們能夠原諒你當初錯誤的決定，這麼簡單而已。只是如果你常常「許願」，然後再常常求「破願」，那跟放羊的孩子又有什麼差別呢？祂們絕對不可能幫你忙的。再者，你的許願、破願（破解原來的願望不也是另一種許願嗎？）能否如願，也絕對和你的修行成績（不是修行程度）有關。

如果一切還可以，如果沒有欠別人特殊的因果債務的話，老天爺一向是很慈悲的，祂們會盡量如大家的願。只是「如願時」的時空背景和「許願時」的時空背景絕對不一樣，時間變了，空間變了，人變了，價值也變了。雖然是變了那麼多，祂們依然是喜歡「成人之美」，喜歡如大家的願。但是在大夥兒如願的同時，可別忘了「如願是絕對要付出代價的」。我說過，天下沒有白吃的午餐。

當然了，能夠如願的前提一定是這個主角做得不錯，修得不錯，既然做得很好，那也就是說，「慈悲」這個基本學分應該是過關了。雖然慈悲過關了，但是老天爺還是得把其他過去世裡的一些特別因素列入「如願」的參考範圍內，因此祂們往往很喜歡在讓大家如願的同時，加進一點點的考題。什麼樣的考題呢？既然慈悲過關了，老天爺就順便考考各位有關「智慧」的問題，看看各位能不能很有智慧的看待某些事情，學習某些事情，進而很有智慧的處理某些事情。

我們一向都是很健忘的，常常忘了自己曾想過什麼？說過什麼？做過些什麼？

也老是忽略了每個人的黑盒子一直都很認眞的在執行工作，也一直都與老天爺連線著。可是同樣的考題，不管是慈悲或是智慧的考題，似乎一再的重複出現，但也因爲時空的不同，答案永遠不會是唯一的。也因爲答案不是唯一，所以我們才更需要靠智慧來判斷。說得簡單一點，生生世世老天爺要我們學習的是——「不要執著，因爲無常」。祂們想要提醒我們的是——「歷史是一連串的因果輪迴」。

## *臨終時的眞正放下

這個可難了，一個人一旦斷了氣，旁人再也無法得知他是否眞正的放下，就像從來就沒有一個死去的人親自回來告訴我們靈界的實際狀況。臨終時有的是本人放不下，有的是親朋好友放不下，不管是誰放不下都改變不了事實。如果知道死亡前那一刹那的意識，對未來的轉世有著非比尋常的影響時，我想大家也許會強迫自己學會改變的。（請看看〈因果故事的研析〉、〈自殺的後遺症〉、〈希特勒的部下〉、〈殺手輓歌〉、〈另一種慈悲〉等等！）

常常在西洋影片中我們可以發現一個不太一樣的畫面，那就是對死亡的感受，國人似乎總是要大哭大叫才可以表示自己對死者的不捨，然而國外的呢？也許他們比較能夠收斂自己的感情吧！

我母親這一段日子是在榮總的安寧病房中度過的，這裡總共只有十五張病床，然而死亡的戲碼幾乎天天在這裡上演，有時候一天之內送走了三個。不同的是，我沒有在這裡看到悲慟的場面，也許這裡住的都是癌症末期的病人，他們的家屬早都有了相當的心裡準備。

就像這裡的醫師告訴我的，他們在盡最大的努力，希望每個病人都能夠眞正的放下而離世，也期盼家屬同樣的能夠讓病人放下，讓自己放下，重新再過日子。本來「放下」這兩個字眞的那麼難嗎？到底放不放下對來生又有什麼樣的影響呢？我只是從因果故事的角度來看待這個問題，沒想到醫護人員也是如此強調。我願意相信醫護人員的話，因爲他們是天天在生老病死之間巡邏的大菩薩。

醫師說，這裡有的病人不接受任何的治療，只希望能夠打坐直到死亡；也有的病人對任何人都有問有答，唯一不對他老婆講話；也有的是一句話也不說……至於我媽媽呢？有的希望她好走；有的卻一心等待著奇蹟的出現；她自己呢？她很聰明，總是趁著先生、兒子不在的時候，拜託醫師，要醫師轉告觀世音菩薩，讓她先插隊，希望菩薩趕快來接她。醫師對她說：「我幫妳訂的是頭等艙的車票，所以你要有耐心，再多等幾天。」轉過身，醫師對我們說：「她好辛苦喔！我沒有達成她的願望！」

這個時候的我才知道：「求生難，求死更難，求好死，難上加難。」「不要執著」！如果您知道因果輪迴是一種長期投資，是一種永續經營，而每一世的命運也不是絕對的定數，您怕什麼呢？如果您知道生命原來有因有果，生生世世的歷程原來都是學習都是服務，您還有什麼放不下的呢？生就是死，死就是生！死亡之後才能重生，才有機會去實現你下一世的夢想。

但是請特別注意的是，「不要執著的放下功夫」的確很容易想通也很容易領悟，但卻不是三、五天或一剎那的時間可以做得到的，那必須是長時間的「生活習慣」所累積而來的「自然反應」。自自然然的，你在任何時空，都不會貪心不會計較，隨時隨地都能夠捨下一切的時候，我才比較有把握說：「我相信你在臨終的那一剎那，一定能夠眞正的放下。」

# 我的看法

## ＊因果輪迴轉世的最高主宰者

在臺灣，每個有投票權的公民各自用神聖的一張選票選出了立法委員，而這些「被」選上的立法委員就制定法律、審核法規。他們總是有一大堆的「法」要處理，爲什麼呢?因爲時代一直不停的在變動，所有的法必須能夠適時適人適地，所以必須不斷的調整。當他們審廣電法時，我不在乎，因爲似乎和我不太相關；他們審電玩法時，我也不在乎……；可是當他們審有關自來水、瓦斯要不要漲價時，我就會買報紙來看個明白；他們談論教育改革時，我也不敢掉以輕心，因爲我有三個尙在就學的孩子。

立法委員必須處理一大堆的法案，只是絕大部分的人都和我差不多，以爲和我們沒有關係、沒有影響的法案，就不會去在乎它，就把它給忽略了。但是深一層的探討，其實幾乎所有的法案都和每一個人民有關係，只是影響層面的多寡而已。

因果輪迴轉世也是如此，我想，那也許是宇宙間某幾個不同的時空各自推選出代表，然後再一起共同討論所制定出來的「轉世法則」。這個法則大家都必須共同遵守，做人做得很好可以上所謂的天堂，做得很差也許就必須下所謂的地獄；菩薩在天堂做錯了事一樣會被貶下凡塵，小魔王改過向善照樣也可以轉世爲人。

所以在這個相關的大宇宙中並沒有一個有實權的主宰者，眞正的主宰者是你、是我、是我們自己，也沒有那一個所謂的「高層的靈」在遙控、主宰著我們，我們所受制的乃是我們自己所推選出來的代表所共同制定的法律而已。那麼，那些所謂高層的靈又該要如何解釋呢？很簡單！先動動腦想想看，立法院的立法委員通過了法律，接下去就是要執行了，誰去執行呢？行政院。執行不好的官員又該如何呢？那是監察院的事了……。總統是我們人民用選票選出來的，行政院長是……。

不難吧！宇宙間的組織有那麼複雜嗎？那麼難懂嗎？祂們眞的是那麼高高在上嗎？祂們有那麼大的權力嗎？沒有！絕對沒有！祂們就好像是行政院這個執行單位行政體系之下所屬的官員吧！祂們是我們的公僕不是嗎？只是祂們亮出來的名片是「公務員」，執行公務的人員，在「天堂」這個行政院的辦公室任職上班而已！也許要有個一官半職確實是要有點內容有點本事，可是你、我、他，大家都可以向祂們看齊，都有機會到天堂上班。如果您還是搞不清楚，請回頭看看《如來的小百合》的〈祂們的不同〉那一章吧！

如果您了解了我所說的這個道理，您就會知道生而爲人是多麼幸運的一件事，也希望您珍惜您在人世間每一個神聖的投票權，好好的想清楚想明白，每一張選票眞的是再神聖不過了，因爲積少成多的時候，這些選票可就大大影響了你我的現在與未來。不要以爲一張選票沒什麼了不起，決定成敗的關鍵，往往就在你我的這一張選票。

## ＊安心

有位女士第一次見面時，我爲她解答了一個她多年來的迷惑，此後她就常常問我問題。每次她總是這麼開頭的：「陳太太，我知道我應該自己思考不應該再問你問題，但是這個問題困擾我很久了，我想了之後還是鼓起勇氣再請教你，你能不能告訴我……。」最後一次是這樣的，我說：「我覺得你只是沒有把你自己的心安住而已，所有的事情其實都很簡單，不需要問爲什麼，不妨自己找個答案、編個故事，只要找一個能夠讓你自己安心的理由就行了。」

我想到我自己，這麼多年來，好多好多的人問我同樣的一個問題：「陳太太，祂們爲什麼要找你通靈呢？」這麼多年來，我也同樣的從來就不問祂們這個問題的答案到底是什麼。一定需要有答案我才能夠做得下去嗎？就好像做父母的一定要事先知道兒女的將來有沒有成就才願意生養他們、教育他們嗎？

第一次有人問我這個問題時，我不假思索的就回答：「有可能我過去世是個很不負責任的老師，不但常常遲到早退，而且還不能因材施教，所以在這一世裡我只好乖乖的一個一個苦口婆心的慢慢教慢慢還，除此之外我還必須以身作則做個守時守信守法的好榜樣。」這個單純的理由讓我整整的熬過了前五年。

第二個五年才剛開始，祂們就陸陸續續強迫我看一些屬於我自己的過去世因果（請看《如來的小百合》的〈屬於我的〉那一章），知道了這些故事之後，我又多了一個支撐我繼續通靈下去的理由，原來我好多世都是在年紀小小的時候就夭折死掉，難怪我的思想像小孩子一樣非常的單純，個性直來直往，不會拐彎抹角。當然了，這種人絕對是最佳的通靈人選，因爲有一只會說一，絕對不會說成二。

多棒！光是這兩個我自以爲是的理由就把我自己的心給安住了。您呢？您是怎麼爲自己找個活得下去的理由，編個撐得下去的故事呢？難嗎？給自己多一點點鼓勵和掌聲吧！多愛自己一點點，多關心別人一點點，老天爺要您來轉世就是看重您，看看您的功課能不能自己完成，看看您能不能圓滿祂們對您的期望，不管是來報恩、還債、還是來修行……什麼原因都不重要，完成了多少更不重要，最重要的是您的態度，不要忘了！最重要的是——「態度」。

就算您現在已經得了醫不好的絕症，您能爲自己安心嗎？不妨告訴自己：「老天爺就是打算將來的某一世讓我能夠成爲一個良醫、成爲一個養生專家、成爲一個助人爲樂的義工……，所以祂們提早在這一世讓我有個親身體驗的機會。」多榮幸啊！爲什麼不趁著有生之年盡量吸收一點和自己病情相關的知識呢？想想，如果有來生自己又該怎麼注意飲食和運動呢？就算沒有來生，「學習」的本身就是一種滿足，不是嗎？

也許時間並不多，也許體力負荷不了，也許精神狀況非常非常的差，但是還是可以給自己一個理由，一個可以讓自己有意義走完這一趟「人生之旅」的理由。如果實在無法找出一個理由，也一定還有最後的一個理由——「祂們希望藉由這一世的病痛，讓我自己親自體會到注意自己身體健康的重要性。」如果您心有所悟，就算您是在生理上極端痛苦的狀態下死亡的，我相信到了下一世，您一定比一般人更在乎更重視身體的健康。

很多人問我一個問題：「請問老天爺要我來轉世，那麼在這一世裡祂們希望我學會的是什麼樣的功課呢？」也許我會這麼回答您：「有什麼問題嗎？您難道不會爲自己出功課嗎？」也許祂們的回答更妙、更帥：「最高竿的功課就是——考考你們會不會自己替自己出個題目，然後再考考你們會不會自己想辦法作答！」有沒有這個可能呢？百分之百——有！

## *轉世變成蚊子

常常聽到有人說：「你一定要好好修行，否則下輩子轉世變成畜牲變成動物變成昆蟲，那時候你就慘了！」果眞是如此嗎？轉世變成菩薩就一定是修行很高竿的嗎？就好像是在行政院上班的高級官員一樣，他們的生活品質、思想行爲、待人處事就一定比一般人更高尚嗎？

我舉個例子，有個小士兵扛著機關槍上戰場，戰爭開始了，他被分派在第一線，敵方的軍人排山倒海的衝了過來。能有第二種選擇嗎？除了用機關槍拚命掃射之外，他還有第二種選擇嗎？有！他可以拔腿就溜！但是，來得及嗎？就這樣，拚命的掃射，除了掃射還是掃射。最後，他打死了多少人他也不知道，因爲連他自己也歸天了。

假設人死後必須經過總「考核」（姑且不用「審判」這兩個字，因爲似乎太嚴肅了點），考核官說：「你不必太難過了，雖然你槍殺了那麼多人，但是這是戰爭時的無奈，並不是你的錯。不是你愛殺人，而是那些有權力發動戰爭的高級長官的不是，所以我們不能把這些敵人的死亡全部都記在你的因果帳簿上。」這個傷心欲絕的小士兵說話了：「我覺得我還是犯了很大的錯，因爲這些人跟我無冤無仇，我根本就不應該掃射他們的，我應該拔腿就跑才是，我寧可選擇自己被敵人殺死，也不願意看到我自己去殘殺別人。」

考核官心想：「我該怎麼辦呢？明明他就沒有錯，可是他卻一直自認有愧，如果就這樣讓他去轉世爲人，我猜想他下一世的潛意識裡也一定會自認爲是個殺人魔王，搞不好爲此而走上了自殺的命運。一旦心理沒有建設好，若是自殺變成了習慣，那麼這個人從此不就完了嗎？這樣一個慈悲的人，我該如何處理才能讓他內心無愧而且活得很自在呢？」

「既然你自認爲有錯有罪，那麼我問你，你願不願意去償還這些人命的因果債呢？」

「我願意！我願意！唯有償還之後，我才能夠心安！」

「好！我就如你的願吧！你就一世還一條人命吧！」

考核官在審核表上的「轉世項目」欄內蓋上了四個字——「昆蟲蚊子」。一連好多世這個小士兵都轉世爲蚊子，每一世都分別被他用機關槍打死的人打死。他的每一世都好短好短，也好慘好慘，死得血肉模糊，可是他很快樂，還不到人世間的幾年工夫，他又轉世爲人了，好漢一條。

這個小故事能夠帶給您什麼啓示呢？尊重生命！還有呢？我以爲不用擔心下一世會輪迴轉世到那一界那一道，任何一界、一道都是修行的好道場。您以爲呢？

## ＊帶業往生

每次只要是碰到這個題目，我就頭大，有什麼好辯的呢？可以帶業（這個業指的應該是惡業而不是善業）往生也是會死，不可以帶業往生也是會死，有什麼不一樣的嗎？您說當然不一樣了，因爲您想往生到極樂世界，因爲您有業所以您才會擔心這個問題。請問一下，如果您沒有造惡業，哪來什麼帶不帶業的煩惱呢？所以不用和我爭辯這個問題，只要把爭辯的時間和精力花在不造惡業上，就是阿彌陀佛了。

經書怎麼寫我不知道，上師怎麼說我也不知道，我只曉得我的通靈經驗似乎是告訴我不能夠帶業往生，因爲帶業往生的修行法實在是太不實際了。如果您還是堅持能夠帶業往生，那麼現在我就從可以帶業往生的論點說明我的看法。

有人說往生極樂世界之後，先修行，修到心較平氣較和之後再來還債，那麼就比較會心甘情願，也比較不會再度傷害到對方。說的有理。如果有人欠你一百萬，對方告訴你等他存夠了一百萬之後再一起還你好呢？還是你覺得每個月還你一萬一萬的比較保險呢？我不知道您的決定，但是如果換成是我，我不知道我還能活多久，我也不知道欠我錢的人是否有存到一百萬的一天，並且願意還給我……。所以，如果換成是我，我寧可選擇對方每個月還我一萬塊錢，能拿回多少就算多少。你可以說我太現實了，但是我必須講清楚：「對不起！因爲我是個債權人不是債務人！你想保護你自己，我又何嘗不想保護我自己呢？」現今的銀行房屋貸款不就是如此嗎？更何況還有利息的問題應該要加進去討論（因果債的早還與晚還確實也牽涉到利息的計算）。

因果的輪迴轉世鼓勵改過自新的債務人（加害者），但是它的前提是絕對不能也絕對不敢忽略了債權人（被害者）的權益。是啊！一大堆的人權主義者強調要保護加害者（犯罪者）的人權，但是他們可以不理會受害者的人權嗎？絕對不行！存活的加害者有人權，存活的被害者和被害死的被害者，難道就沒有了人權嗎？放心好了！這一世他們的人權被忽略了，來生總一定會有機會討回公道的。

想想今天如果房屋貸款繳清了，那一定是大事一件，因爲我可以重新規劃未來，我可以好好支配所賺的每一分錢，我不用擔心因爲景氣不好或被炒魷魚而繳不起房貸……總歸一句話，那就是——「無債一身輕」。就算我每個月所賺的錢只夠我生活所需，那又何妨呢？起碼我無須擔心因爲繳不出房貸而房子被拍賣。這個舉例不曉得您可以接受嗎？

好！如果眞的能夠帶業往生，那我所知道的訊息是這樣的，也許上面有個專門爲這種人而開的學分或課程，上課的第一天老師如是說：

「各位同學，歡迎你們主動報名加入我們這一班，這是一班專門爲上學期需要補考（帶惡業往生）的同學而開的暑期先修班，各位的勤學態度我們給予最高度的認同。話說在前頭，因爲各位同學所需要補考的科目（所帶的惡業）各有不同，再加上各位同學的資質與學習態度也各有程度上的差別，基於這幾點所以我們不太容易編製教材，只好從最簡單的、最基本的課程開始敎起，因此對那些程度比較好的同學就只好說聲抱歉了。」

「等先修班所有的課程結束之後，不要忘了，這個先修班照樣是要經過考試的，另外各位也別忘了上學期你們各自需要補考的科目還在等著各位呢！當然了，也許先修班所學的內容可以彌補或加強你上學期的不足，但是也許也有可能因爲時間有限的關係，各位所需要補考的科目反而被你自己給忽略了或遺忘了。」

「站在學校的立場一直都是這樣的，先修班的課程你可以選擇上，也可以選擇不要上，但是上學期你該補考的科目無論如何都還是要補考，而且補考的時間沒有改變。如果補考不及格就是不過，就是不能升級，也許還得留級。」

「根據我們的經驗，我們比較傾向於建議各位同學在暑假這段期間，好好的重新複習需要補考的科目，在開學之前先將所該補考的科目考過了之後（所欠的惡業先還完），等到新的學期開始，就算你沒有上過先修班都沒有關係，因爲既然補考通過了，各位自然就可以很放心很努力的去修習下學期你所想要學習的課程或學分了。」

## ＊自主輪迴

眞的有人可以自主生死、自主輪迴嗎？也許吧！我一向是個喜歡動腦筋又愛唱反調的人，所以總想找出一個自認爲與衆不同又沒有瑕疵的滿意答案才肯罷手。我不想從經書上找答案，我就是想自己動動腦！我不想要知道過去的高僧大德怎麼說或經書上怎麼寫，因爲經書是口述又經過層層的翻譯，佛陀眞正的原義可能……。我比較想確定的是——這些觀念的答案應該是可以經得起時空的改變——如果不實用就該修法或者乾脆重新制定新法。時代是朝著自由民主平等在前進，地球上是如此，其他的時空大概也應該是如此吧！

也許在以前的君權人治時代，君王就是法律，他說什麼就是什麼，就算不對也要照樣去做，所以皇帝是世襲。但是時代一直在變，就像我在《蓮花時空悲智情》的〈問與答〉那一章中所說的，如果西方極樂世界一直是如佛經上所描述的，那麼祂們實在是……，一點進步也沒有。或許吧！每次我努力想看佛經，偏偏一下子就昏昏欲睡，我只好爲自己看不下佛經而找藉口，也許是祂們怕我被佛經所誤而找不到西方極樂世界。

那麼我的想法又是如何呢？我以爲應該是說可以「申請」、可以「選擇」自主生死、自主輪迴的。爲什麼說「申請」、「選擇」呢？就像你想考大學、考高普考、想要去美國留學、想要應徵工作……等等，總都會有學歷或經歷或其他條件的限制或要求吧！反過來說，有這些條件的人卻未必一定都想要考大學考高普考想留學……。同樣的，如果說因果輪迴轉世是多重宇宙間所共同制定且必須共同遵守的法則，那麼大概沒有幾個「人」可以例外吧！說不定還完全沒有例外呢！

如此一來，所謂的可以自主生死、自主輪迴，所指的大概就是這些修得很不錯，符合了因果輪迴轉世法則中可以提出「申請」條件的「人」，至於要不要提出申請，這是當事人的自我「選擇」。如果再繼續推測下去，搞不好「選擇」提出「申請」之後，還得經過層層的筆試、口試之後，才能決定當事人是否過關。

請注意很重要的一點，一個去年符合條件可以考得上的人不見得今年他還是符合條件、還是考得上，因爲也許限制的條件改變了，也許考題變難了，也許……。所以西藏班禪喇嘛、達賴喇嘛等大修行者的轉世問題，很值得我們深思。就舉個最簡單的例子吧！活佛轉世。

達賴十四世是達賴十三世轉世的，達賴十三世是達賴十二世轉世的，十二世是十一世轉世的，依此類推，那麼一世就是二世就是三世……就是十四世了。不太公平吧！怎麼領袖人物都是他自己一個人在當呢？這麼多年來難道就沒有一個比他修行更好的人願意來接續他的工作嗎？可憐的達賴喇嘛。好吧！你可以說他是觀世音菩薩乘願轉世再來的，可是依「我的」理論猜測，「上面」的觀世音菩薩應該也有好幾位吧！難道說每一次乘願而來的就絕對是同一位觀世音菩薩來轉世的嗎？爲了佛教聖地——西藏，「上面」其他的高手到底是怎麼了？

「如果」在同一個時間，我們也找來幾個資質不錯的小孩子，在同一個環境之下，也同樣的給予完全一模一樣的照顧與訓練，就像培訓達賴喇嘛那樣的慎重處理，只是主角不同而已，而其他的外在配合條件完全一樣。有沒有這個可能呢？在一段時日之後，我們也訓練出幾個和達賴喇嘛一樣優秀一樣傑出的領袖人才呢？

再來一個「如果」好了，既然都是同一個「祂」或同一個「他」來轉世，那麼還有必要從小大費週章的接受一大堆特別的栽培與訓練嗎？根本就不需要，只要時日一到，自然很快的就應該會有所體驗有所領悟，那個時候再加以培訓也不會太遲的。「如果」這些特別的培訓只是幫祂或幫他找出過去世所累積下來的經驗和本事，那麼這些一再來轉世的「高手」實在也沒什麼了不起嘛！因爲一般人都還盡量自己想辦法自立自強，他們卻需要靠外力靠其他那麼多的人來助他們一臂之力。

這是我的想法。從前一世死後就開始尋找他的下一世，是爲了「鎮住」他的「寶座」嗎？怕寶座被搶嗎？是他本人在乎還是他身邊的人在乎這個寶座呢？這種傳承的方法稱得上民主嗎?

我想告訴各位什麼呢?千萬不要小看了你自己!因爲你絕對是唯一的!我也想告訴各位，不管十四世的達賴喇嘛是誰來轉世的，我都佩服他的一句話:「我不會再來轉世了!」不管他老人家符不符合可以提出「申請」的條件，但是我知道他是「選擇」不提出申請的，就算上面那個行政院長派他出使到西藏，他也會婉拒的，因爲他老人家跟得上時代，知道「民主」和「交棒」的眞正意義。

我無意要挑戰什麼，也無意推銷什麼，我只是喜歡動動腦筋喜歡唱反調，喜歡找出一個自認爲與衆不同又自認爲沒有瑕疵的滿意答案，來滿足一下自己對宇宙的好奇而已，絕無任何的惡意或一絲絲的不敬!

# 如果有下一世

有沒有下一世呢？也許有，也許沒有。如果有的話，又會是在那裡呢？在天堂？在地獄？在人世間……。如果是在人世間，又會轉世「變成」什麼呢？是人？是狗？是蚊子？是海豚……還是一棵樹？一朵花？一朵「曇花一現」的曇花呢？

一般人，包括我在內，常常犯了一個毛病，這個毛病如果不加以深思其實也沒有什麼不對，但是如果輪迴轉世是存在的話，那麼這個毛病就非得要「正視」不可了。因爲問題實在是非比尋常，讓我們不得不好好的想一想。也許您看了這一篇之後，會大大的改變您的人生態度也說不定。期盼您能靜下心來好好的想一下這個題目——「如果有下一世」，想好了之後，再回過頭來省思一下目前您的生活態度，是否需要稍微調整一下呢？

在安寧病房照顧媽媽的時候，我發現到一般人習以爲常，也認爲應該是如此才對的一件事，什麼事呢？「你要多唸南無阿彌陀佛，不停的唸，那麼就可以轉移注意力，也就比較不會感覺到肉體的痛了。而且阿彌陀佛、觀世音菩薩也會聞聲來接你到西方極樂世界的。你要對菩薩有信心，跟著阿彌陀佛放心的走，不害怕。記得！一定要多唸南無阿彌陀佛、觀世音菩薩！」其他的宗教派別又是如何呢？是否也是大同小異呢？

但是，臨終前一心一意誦唸佛號的病人，當他們死了之後，一定就可以到天上報到的嗎？如果說有西方極樂世界的話，那麼也相對的應該會有地獄吧！爲什麼不勸人多唸「南無地藏王菩薩」呢？因爲如果有本事「上」到天堂的話，那還有什麼好怕的呢？萬一「下」到了地獄，那才是眞正需要找救兵的時候吧！如果您以爲唸阿彌陀佛、唸觀世音菩薩就上得了極樂世界的話，這也未免太天眞了吧！沒有宗教信仰的人又該怎麼辦呢？不要以爲祂們這麼好講話的！舉個例，如果您不是符合相關的規定條件，您有辦法合法的申請到美國的移民嗎？

癌症末期的病人在肉體上應該是會很痛（對不起，因爲我沒有經驗，所以我不想用「眞的」是會很痛。）就以我媽媽來說好了，止痛藥不斷的增加劑量，只要時間一到，忘了給止痛藥，那麼……。旁觀者卻以爲很容易就可以止痛——「你只要一心不亂的唸南無阿彌陀佛，就可以轉移痛苦，就不會感覺到痛了。」有一個很簡單的證明方式，絕大部分的女人都可以體會得到，想想，當妳在生產「陣痛」的時候，唸佛號就不會痛了嗎？

我個人以爲爲什麼要這樣「騙別人」呢？天堂、地獄眞的存在嗎？就算存在，當您滿心歡喜的期待著去極樂世界時，如果偏偏事與願違呢？馬上就「被決定」來轉世、馬上就「被關到」十八層地獄，那種打擊會有多大呢？

難怪世間人，不管是那一國、那一人種，都會有那麼多的人有著同樣的一種個性，那就是——「無法敞開心胸的去相信每一個人」。不要以爲是因爲長大了，受到了環境的影響，回過頭來想想，想想剛出生不久的小嬰兒，就已經會「怕生」了。爲什麼會這樣呢？人跟人之間，難道就眞的無法彼此誠實相向，彼此信賴嗎？原來，原來這也有可能是「天生」的個性，也許在上一世，甚至於在更多的過去世裡，我們就一再的被宗教、被別人給騙了。其實早就被騙怕了！只是我們實在是太健忘而已！

我還是用舉例的好了，如果有人告訴你：「不管你是那一國人，不管你的條件如何，只要你每天不停的唸誦著『美國』，唸到一心不亂，就一定可以移民到美國。」你會相信嗎？如果你相信，那麼就不用看這一篇文章。如果你不相信，那麼也許你會問我：「那怎麼辦呢？臨終時，我又該給自己一個什麼樣的心態呢？」

我想，轉世為人的機會應該是比較大吧！那麼就這麼想吧——「如果有下一世，我想做什麼呢？」也許在臨終的時候，你已來不及再為未來世加減什麼分數，但是你絕對可以為自己定個努力的目標。以我來說，如果有來生，我希望有機會可以當幼稚園的老師，或者孤兒院的院長，因為我喜歡小孩，我願意為小孩付出我的愛。不管我將轉世到那一個國家，不管我是男是女，不管我的經濟條件有多差，不管……，如果我抱著夢想而闔上了雙眼，我想我會感覺到很溫馨的，因為我有願景，一個很實際的願景，我將不再害怕死亡。

有了死亡，就有重生的機會；有了重生，就有圓夢的機會。到了下一世的時候，我的潛意識裡，也許自然就會有一股說不出來的推動力，督促著我向自己的目標而努力前進。也許我不見得可以圓夢，但是我相信我的生命一定有重心，一定不會渾渾噩噩的過日子。

這種異類的想法，您以爲呢？我想，應該有人可以接受吧！

記得年輕時候，那一段一天到晚相親的日子，我常常很「豪氣」、很「瀟灑」的對別人說：「做生意的我不嫁，因爲生意人爾虞我詐的日子，我絕對不會習慣；做醫生的我也不嫁，先生賺那麼多錢有什麼用，又沒有時間給老婆小孩，日子不需要有那麼多錢還是可以過得很有品質的。」

我知道，我想要追求的是什麼，我也知道，我想走的又是什麼樣的一條路。話雖如此，但是卻也往往因爲自己這種比較「不合乎人之常情」的堅持，爲自己也爲家人，帶來了不少的麻煩，甚至於遭受到羞辱。

我不喜歡用「外表」來衡量一個人，所謂「外表」包括了權勢、財富、性別、社會地位、學歷、美貌等等。我的這種個性也是從小就如此，但是經過通靈的因果故事經驗之後，我深深的體會到，這些「外表因素」的後遺症，卻嚴重的影響到轉世的結果。我慶幸自己天生擁有這種個性，否則這個時候，要我再來改一改「江山易改，本性難移」的個性時，那實在是挺累、挺費神的。

如果您在這一世裡擁有大筆的財富，您敢肯定下一世，您還有這種命嗎？如果您在這一世裡站在人前，有權有勢，下一世呢？這一世你又帥她又美，下一世呢？

這一世在這個重男輕女的時代，您是男性，下一世呢……很可怕吧！下一世居然是個如此神秘的「未知數」，未知到我們根本就無法偷窺到一點點的線索。怎麼辦呢？如果有下一世的話，如果您又轉世投胎爲「人」的話，只有一個是定數——「人」，其他的通通都是未定數。就算通靈人事先告知你未來世的秘密，那一定準嗎？只不過是又多了一個未知數罷了！

這是個常見的畫面：有錢的人處處炫耀他們的財富，講話的口氣裡總是用財富在壓人；有權有勢的大人物對人頤指氣使的，惟恐別人不知他的身分地位；男人拿女人的身體開玩笑，處處擺出大男人主義的那一套；有美滿家庭的人，取笑別人的破碎環境或婚姻；會唸書有學歷的人，瞧不起那些讀不出個所以然的人；貌美的人，看也不看一眼那些「天生」長得較醜的人；有顯赫家世的人，看不慣沒有背景的人；開雙B的，瞧不起別人的銅罐車；穿名牌的，看不起別人的地攤貨……。

下次如果您再有機會被這樣子的人修理、傷害的話，不要緊！想遠一點！如果有下一世，當這一些人不再擁有這些令他們引以爲傲的「本錢」時，相信他們的日子一定會非常、非常鬱卒的，因爲他們一定水土不服，適應不良。聽過一句成語嗎？「由儉入奢易，由奢返儉難」，只要把「儉」和「奢」兩個字稍微改變一下就可以了。這一世您所擁有的一切，並不代表到了下一世您還是能幸運擁有。

所以再受到修理、傷害的時候，不用難過、不用心酸、更不能有報復的舉動。說不難過、不心酸是假的，如何轉移這種力量才是上策，再說如果採取報復的行爲，相信到了最後，您自己也一定會吃大虧的，何苦來這一招呢？

練習看看，一次又一次的被修理、傷害之後，看看自己是否變得更高竿了。怎麼個高竿法呢？心存感激，「以他們爲戒」。對了！就是「以他們爲戒」！想一想，就是因爲有這一些人活生生的存在我們的日子當中，所以，他們很生動的所作所爲才可以更清楚的作爲我們的借鏡，讓自己時時心存警惕——「有朝一日，如果我也擁有了那些所謂『本錢』的時候，絕對不允許自己像他們一樣。」我的意思是希望您對曾經傷害過您的人，心存感激而不是心存詛咒，我可不希望您在心裡頭暗自詛咒著：「好啊！你繼續取笑我好了，我倒要看看下一次你轉世的時候，如果變醜了、如果是個窮光蛋、如果不會唸書、如果……我再看看你的日子要怎麼過下去！」

「萬般帶不去，只有業隨身」，這是指死亡的時候，當再來投胎轉世的時候何嘗不是如此呢？所有的財富、權勢、美貌、性別等等，都是跟著「業」而有所變動的，曾經我們引以爲傲的本錢，一個個都變成了未知數。當您這一世用那一種態度待人處事時，也許，到了下一世，別人也用同樣的態度來對待您。您低得下頭嗎？彎得下身段嗎？您可以適應得了嗎？

寫到這裡，如果您就是剛剛我所舉例的那一種人，我想，您一定會對我的說法嗤之以鼻。這種人什麼都不怕，就只害怕失去他們引以爲傲的「本錢」。所以雖然他們口頭上不以爲然，但是內心裡絕對比任何人都還要來得緊張，一天到晚七上八下的，就怕失去了他們的本錢。其實再說近一點的，搞不好不用等到下一世轉世爲人，在這一世裡，就有「現世報」在等著他們呢。

所以，一定要學會「尊重每個人的存在」，每一個人的投胎轉世，一定有它的存在價值。天生我才必有用！只要您肯學習、您肯服務，不用害怕死亡，更不用害怕「如果有下一世」。

# 讀者來函

## ※臺北市某先生

伶姬小姐您好：

感謝您兩本書帶給我的啓示，給了我一個新生命。自從看了您的書之後，我察覺到自己的缺點就是太自私。經反省後，盡量去除自己的私心，凡事都爲別人想想，利益他人，利益公衆的事，不分大小都盡力去做，以服務爲目的，時時刻刻存著幫助別人的善心去幫助需要幫助的人。心存正念不貪取任何一分不屬於自己的金錢或財物；不自私自利，只想到自己的利益，而不顧別人的立場。這是我從書中所得到的東西並實行應用於生活上，結果每天都過得非常的快樂。

我終於找到了自己，也知道人生的目的就是「服務他人，利益衆生」、「學習忍辱，甘願還債」，凡事爲他人著想，不爲自己，眞心的付出爲人服務，恪守信用，誠實不妄語，守時守分守規矩，則最快樂的人就是自己。感謝您帶給我的覺悟。

以前我只會唸經，不知去除執著功德分別，不知經典應實際落實在生活上，從最小的行爲做起。像您挺著大肚子還爲公寓樓梯打掃，爲人算命不收錢，不求名利，要算命的人一切按規定預約掛號，這是平等無分別心。又從不爲自己或家人算命求神，這正是「但願衆生得離苦，不爲自己求安樂」的菩薩精神。

由您書中可以得知您是「正法」的代表，不貪、不爭、不求、不自私、不自利、不愛名利，以算命說因果，方便法門渡衆生。我是最大的受益者，從您書中得到了智慧覺悟，也發願今後要學習您的精神，「正己」開始，不貪名利，守規矩，守紀律，盡自己最大的能力來服務他人，利益衆生，而不求任何回報。希望您能繼續出書以渡化更多有緣人，我就是您渡化的人之一，自己覺得受益良多。學佛數十年都是在文字上打滾，直到看見您的書才知道該怎麼做。

眞的非常感謝您，才寫出這封信，一方面致上十二萬分的感謝；另一方面鼓勵您再接再厲再出書，有很多的人因您的書而覺悟，而離苦得樂，眞是功德無量。

九一年元月二十四日

＊我的小女兒看了這封信之後，說了一句話：「媽！爲了這一位讀者，妳就該繼續寫第三本書。」

## ※臺北市某國中女生

（信封上如此寫著：臺北市一位單純想表達謝意的國中女生）

親愛的陳媽媽：

請原諒我擅自如此稱呼您，如此更有一番親切感，希望您別在意！首先問候您全家大小好，相信收到信的同時，心情舒暢，因爲那附上了我的祝福！（笑）

我目前是一個國三生（女），老實說，後天就要模擬考了，但我無法壓抑讀完您書後的雀躍心情，希望快點親自感謝您。原本，我有些懷疑媽媽朋友推薦的《如來的小百合》，連書名都看不太懂，這位通靈作者到底要書寫些什麼呢？原諒我懷著一些不尊敬的心態開始閱讀，一開始是好奇於您不同的身分，到後來卻發現，透過您的筆，的確傳達了些我平日忽略的重要生活觀。也可以說，您用另一種方式震撼了原本愚癡的我，這時我更發現，還有許多日常規範您所希望我們培養的，跟您的身分著實不太有關係，重要的是那份態度。

一口氣讀畢您的兩本著作後，不似以往多次反覆的「痛下決心」，而是平靜的湧現一股力量，促使我大大的改變。再次感謝您辛苦，更可能承受了些許的掙扎完成《如》、《蓮》兩本書。再次提醒您，會有收穫的，您努力想傳達的道理，確是有人領會到了（不敢說完全），謝謝您的貢獻！雖然目前只進行了一天，但我也開始「修正自己的行爲」，自動補倒開水，幫媽媽提菜，表達對父母的愛，認眞過我人生的每一個十分鐘（說每一秒我還做不到），主動關心周遭的人。

說來慚愧，活到那麼大，卻一直在「知易行難」的藉口中寬恕自己，把道理當作裝飾品，謝謝您點醒了我！（我媽又要說我只聽外人的勸告，都聽不進父母的話了……對不起啦！媽！）希望就算將來您遇上了什麼說理的挫折，也別心灰，想想還有我們正滿懷感恩的在修行！（It's your 功勞！）

當我看到〈超級電腦〉時，除了再次感嘆自己的愚癡外，更多了懷疑；讀到

《蓮花時空悲智情》中的〈祂們說〉時，更控制不住的開始對空無一人的客廳大喊：「你們到底是誰？」「這宇宙的幕後黑手又是誰？」「靈體、思想的出現又爲了什麼？」我希望更深入探究井外世界的眞象，但首先我得先考上理想高中了……（哈）。在國三時，我也感受到無與倫比的精神壓力，因爲我跳不脫世俗的壓力，「我想比別人好」——這就是我痛苦的原因。

除了競爭壓力外，最使我痛恨的卻是那深陷在比較、嫉妒泥沼中的我……我好想好想快樂的和大家一起學習，但曾幾何時，我迷失了。我不願再嫉妒那些好的人（表現環境），可是那些污穢的想法總是自己跑出來。讀完書後，我一定還是無法控制我內心裡的魔鬼，但我會努力糾正我的心態的！我絕不願意一生都在猜忌中打滾！感謝您！

另外，有個問題想請教您，每當我家殺蟑螂、蚊子、螞蟻時，都有一股難過，難道就不能「誰都不要被剝奪生命」嗎？但我媽又說那是不得已的，而我也眞的怕牠們……我們只能爲牠們說聲「地藏王菩薩」了嗎？

最後，謝謝您看完我的廢話，不時寫錯字及潦草筆跡也請見諒，還有太多未知待我們一起努力探究，當然前提是良好的品性！我會加油實踐的！您也請加油，爲您所認同的事物持續與世界修行！

九十一年二月十八日

＊這是我所收到最年輕的讀者來信。

關於殺蟑螂、蚊子、螞蟻時，又該如何呢？

我是這麼做的——在家中，因爲這是我的「地盤」，我必須保護我自己，所以就算牠們沒有攻擊家人，我也會主動殺害牠們。到了室外或者是郊外，那是牠們的地盤，除非牠們先攻擊我，否則我不認爲我有權力殺牠們。

## ※桃園市某先生

很慶幸的接觸到妳的書，有很多事情我因此而頓悟，很謝謝妳這樣爲大衆的付出，雖然我無法像妳一樣有那種能力爲大衆解惑，但在我平時的生活中，我盡力去扮演我的角色。我很喜歡鼓勵別人多看點書，去充實自己的智慧，我的目的並不是要大家努力讀書，追求更高的學位，我很希望每個人在無法獲得經驗或無法解決自己問題時，自己去找答案，自己去學習，畢竟學到的是自己的。有多少人是經歷過創傷才學會的，難道當初沒人告訴他嗎？有的，貴人出現相助，若自己不會去掌握，等於沒有不是嗎？

我常告訴我的朋友，人的生命短暫，最後都是一堆白骨，爲什麼不珍惜眼前的一切呢？等到失去時再後悔是來不及的！有人說我太悲觀了，其實我並不是悲觀，是我實在經歷了太多，我希望他們能腳踏實地的做人，在工作上去盡自己的本分，有能力去幫助別人，凡事爲他人著想。尤其是我身爲銀行行員，是服務業，無理取鬧的客人一定有，有時連我也會受不了，是真的客人的錯嗎？未必！有時自己也會錯的，站在他的立場想想，聽聽他的抱怨，才會知道如何幫助他，或許也是魔考吧！（我自己的想法）是來讓我修行的，所以我盡量告訴自己不動怒，長久下來，我發現我進步了！謝謝你！

我相信我也有一個黑盒子，尤其是第三個黑盒子。在某天的一個傍晚，我騎車回家途中（每天騎車來回一小時車程），我看見路中央有隻狗已經躺在路中大聲哀嚎，不用說一定是被車撞到了。原來已經騎過，但一想到常看見路上很多被壓扁的動物屍體，我決定回頭去救牠，雖然我不知道能不能救活，但我不想看到牠被車壓扁。當我要把牠抓到路邊時，不注意時牠咬了我的手，哇！我顧不得那麼多，先把牠弄到路邊去吧！半推半就，終於把牠推到路邊去了，實在是因爲很痛又流了滿手血，我只好忍痛騎回家了。我並不怪那隻狗，當一個人受到驚嚇時，也未嘗不是如此？算了！之後那隻狗就不再看到，但很値得欣慰的是，我沒有看到牠被壓扁在路上！

一個星期後，我出了車禍，我迎面撞上小發財車（對不起！其實那天公司聚餐，我也喝點酒），原本應是很嚴重，沒想到是我的後照鏡打到對方的後照鏡，受了點皮肉傷，車子倒是損失慘重。後來想想，啊！「轉重輕受」，救了那隻狗，讓我的傷害減輕了！謝謝那隻狗！謝謝老天爺！我會記取教訓的！

**※臺北市某先生**

日前拜讀了您的《如來的小百合》一書後，又有幸於週三元旦下午至問路咖啡廳聽您爲人解答疑惑，對於您願意發心爲人解答人生疑惑，甚表欽佩。過去十年，我一直在探討人生的意義，涉獵各方心靈的書籍，由於資質駑鈍，只能有一點小心得，在讀完您的大著及聽完您的談話後，有些看法提供給你參考，亦請不吝賜教。

在書中您有一個重要概念談黑盒子，您用三卷錄影帶來說明人生的命運，並且用百分之六十的天生注定及百分之四十的努力，來說明人生的歷程。關於這點我嘗試用另一種比方來說明，還記得在學校上課時，開學第一件事便是註冊，註冊後便要開始選課，接著按照所選的課逐課來上，靈魂決定投胎即是註冊，並且需選定所要修的課程及順序①。例如有人來主修感情問題，當然還會順便選讀金錢等困擾。許多人找算命先生算命、批流年，所看的便是在註冊時所選的課爲何，但是選課是一回事，修課又是一回事，如同大學的微積分，許多人覺得非常困難，但有人因爲努力，還是修得高分。算命或是通靈的人，因爲得知你選擇了一門感情困擾的課，因此認爲你將遭遇痛苦，可是因爲你不斷關心周遭的人的感情事件，並且研讀許多這方面的書，當你碰到該門功課時，可能不會走向悲慘的結果。

因此，算命先生與通靈的話到底準不準，答案即在當事人修課當下，其心態爲何，心念一轉，該修的課無法逃避，在態度上需坦然接受，並且用心去了解每一個事件中，所要學習的智慧爲何。課程可以預修，事件未發生時，便主動去學習，如果在一個事件中無法體會眞正的意涵，上天自然會安排下一個事件給你學習，這輩子學習失敗，下輩子還要繼續學，所以當下自覺的功夫非常重要。

呼應到您所提的黑盒子比方，第一卷帶子即是所選的課，第二卷帶子是上課的態度，而第三卷即是成績單②，而至於命中注定佔百分之多少，努力佔百分之多少，由以上的選課比方來看，其意義便不大。微積分難修，努力還是可以通過，通識課程好修，一天到晚翹課，還是不及格，所以選的課也不重要，心最重要。

許多人總喜歡怨天尤人，殊不知老天爺給人一顆自由心，可以自主性的決定自己的想法及做法，只是宇宙間有一定運轉的道理，所有人都要為自己的行為負責，此謂自作自受。

陳太太願意為衆人解惑，可惜大多數人只願知道第一卷帶子的內容，卻不知或不願修練自己的心，導致您只能預告學習的功課，卻無法改變將要發生的實相③，不過每個人的業自己修，我們也只能祝福。

一點小意見供您參考，假如您有興趣，歡迎有機會一起研究人生哲學。

＊＊＊＊＊＊

感謝您在百忙之中回信給我，來信之中提了許多的看法，或許彼此在探索人生眞理的方式與機緣不同，且並無較多的互動過程，想法上的差異自是必然的，仔細拜讀您的信件後，一點小想法還是提供給您參考。

信末您提出一個謎，「爲什麼人生而不平等呢？」這個問題恐怕我無法回答，原因是命題有誤，人並無生而不平等，您對於平等的概念恐怕太過狹隘，平等的眞諦係指機會平等，而非齊頭式的平等，假如造物者創造每一個人完全相同的人生，婆娑世界便不會存在。

一般人認爲人生而不平等，怨嘆自已生在三級貧戶，而非有錢之家，殊不知生在三級貧戶經過努力奮鬥，最後可以當上總統。生在有錢之家，父親在玩女人，媽媽天天打麻將，小孩飆車吸毒最後被捕入獄，試問您會選哪一種家庭投胎④。所以根本沒有所謂公平的問題可言，每一個靈魂投胎的選擇，都有其神聖不可替代的功課，我總覺得都值得祝福，無須評價其好壞。

對於靈魂的投胎過程，實在無法用世俗一般性的眼光來看待，因果律只是宇宙律之一，知曉「因果」不必然能加速或改變一個人在功課上的學習，其實「源頭」絕對不是因果，那都只是過程而已。就像您透過靈所傳達的訊息，來告訴別人以往的因，並無法協助當事人悟透所需學習功課的眞正本質，最重要的還是心的修煉。

既然您出一個謎給我，我也請教您一個基本觀念，人的投胎是自願的？還是有個審判單位或神來決定的⑤？建議您把這個問題請教提供訊息給您的高靈們，假如在這觀念上我們的看法不一致，確實無須再繼續討論下去。

＊＊＊＊＊

謝謝您農曆過年前的回信，可惜業務繁忙一直到最近才有時間再寫信給您，不知近來您是否仍爲人解說因果、指點迷津或是打算繼續著作第三本書。

其實我的專業是在交通及土地規劃方面，只是從小便對於人生哲理及靈修相關事物非常有興趣，例如我國中便開始研究紫微斗數，大學時則精於易經的研究，工作後則沉浸於新時代思想的書籍中，在某次機緣中，竟也通曉天語，近幾年則是在佛經、聖經及道德經中，嘗試貫通各經典之眞理。或許是因爲物以類聚的關係，所以也認識許多的同好，大家不斷的切磋琢磨，也增長些智慧。

對於您發善心來爲衆生解惑，實在非常欽佩，但是想寫信給您是希望提供您一些啓發與想法。讀您的書與聽您與人之對談，有些地方確實有著迷思的存在，當然對於一般普羅大衆而言，您的說法是較吸引人的，可惜對於指引他們的方式與內容，似乎不盡妥適。

透過靈界傳來的信息作爲處事的參考是可行的，但是，如果您的心中無法體悟道的眞理，那些信息並無法讓當事人解決問題或了解應學習的功課。例如您喜歡用因果來解說事物發展的過程，那試問，第一「因」爲何⑥，您也常建議大家以做善事的方式來解決一些問題，那爲何金剛經中說做善事無法積功德⑦。假如說眞理是一個殿堂，或許您曾經在那窗外向裡面看過幾眼，但要走進去的方式是需要更謙卑的態度去學習的。

## 回應

這位讀者在參加座談會的時候對著與會的其他問事者說：「各位不用擔心來轉世，因爲我們都是彼此商量好、自己決定好了之後才會來轉世的。」果眞是如此嗎？如果是自己決定的，那麼在這一世裡，也許我應該是個瑞士人才是。因此以下的回應多半是繞著這個主題在發揮。

①這位讀者的例子用的是大學註冊的例子，但是小學、中學又是如何呢？姑且不談小學、中學，那麼總得要先考上大學才有資格談註冊吧！請注意觀察一下，難

道每所大學的選修規定都是一樣的嗎？軟體師資硬體設備皆會相同嗎？我想，一般社會大眾對不同學校畢業的學生也往往會有不同的評價吧……還有選修課程的種種問題，有些是必修，有些是選修，有些可以旁聽但沒有學分，有些有名額的限制等等，而那些沒考上大學的人又該如何呢？

②第三錄影帶即是成績單，就是作為會不會「過關」還是「被當」、「重考」的標準，換句話也可以解釋說就是您下一次靈魂投胎的依據了，所以「能不能上大學」、「能夠上那一所大學」就看您自己的所作所為了。

③我不喜歡預告學習的功課，我比較喜歡告訴來問事者，根據他上一個學校（過去式）的成績單分數，或者根據他考進這個新學校（現在式）的入學成績單，試著提醒他在這一個新學校的標準規定之下，他應該秉持著什麼樣的「態度」來學習、來做功課，才會比較容易ＰＡＳＳ過關，在畢業之後也比較容易找到好的工作，或更上一層樓繼續修碩士、博士。

就算他在上一個學校的成績是多麼的爛，就算他是以最後一名的分數考進這個學校，我都會再三的強調，只要他肯努力，他都有機會以第一名的成績畢業。但是我也會提醒他，不是只有功課好、分數高就是最棒的，希望他的思想、他的行為也都是一流的。

如果考不上大學的人來問我，我想，我還是一樣的答案，我會告訴他趕快努力好好準備，也許明年就可以考上了。

所以，我再怎麼會通靈都無法改變別人將要發生的實相，我只能改變自己的未來，別人的未來絕對是操控在他們自己的手上。

④選擇那一種家庭投胎，你喜歡做總統嗎？也許你喜歡，也許你不喜歡，那都沒有關係，但是萬一有其他的人也喜歡做總統，那要怎麼辦呢？只能有一個總統啊！透過選舉，合法合理的選舉，本事好的人獲得了最高票，那麼就是這個人當總統了，其他的人怎麼辦呢？沒關係！繼續努力！等下一次的選舉，甚至於下一世，下下一世……只要您喜歡，只要您有本事，永遠都有機會等著您呢！我以為這才是眞正的公平，眞正的機會平等！

另外我還會思考，為什麼在這一次的機會中他可以當上總統，而我不行呢？是我本身的條件不如對方呢？還是我的選舉策略有了偏差？對手有那些值得我學習的嗎……。我不會傻傻的聽天由命，傻傻的等著老天爺要不要讓我當總統，既然我喜歡當總統，我就會為下一次的選舉而努力加強我的「本事」。

⑤人的投胎，就如讀者前面所言，「每一個靈魂投胎的選擇，都有其神聖不可替代的功課，我總覺得都值得祝福，無須評價其好壞」。是的！每個人都有自主權，都可以「擁有」最好的命運，過著最好的生活，都不願意有壞的命運、壞的劫數、過壞的日子。就像沒有一個地方的人士同意把垃圾掩埋場設在自己的土地上一樣。但是如果沒有垃圾掩埋場，這個社會、這個國家又會是如何呢？怎麼辦呢？如何在抗議人士與國家前景的考量之下，找到一個平衡點，找到一個妥協的方式呢？

既想要做總統，又不想要與垃圾掩埋場為鄰，當每個人的想法或立場都差不多的時候，自由是一回事，但是民主，一種「尊重別人」、「尊重多數人」的眞正民主就更形重要。這個時候，也許就得偏勞那些我們一票一票所選出來的立法委員做點事，立個法，立個大家都必須共同遵守的法律，再經由票選出來的總統或行政院等單位認眞徹底的去執行。

⑥第一「因」為何？就像是問我先有雞還是先有雞蛋，先有亞當還是先有夏娃一樣，這種問題，在這一世裡，我想我可能永遠也不知道正確答案是什麼。但是我不被這種問題所迷惑所限制，因為我珍惜當下，努力當下。我不知道宇宙到底有多大，也不知道不同時空的時間換算公式為何，光是在地球這個時空，你、我所知道

的又有多少呢?縮小一點範圍吧，我對自己的身體又了解了多少呢？一個「大腦」就已經是個小宇宙了。

是的！我的知識我的智慧很有限！但是我知道我的日子還是得活生生的一天一天的過下去，我必須去做、應該去做、可以去做的事情實在是很多很多，所以，第一「因」到底爲何，對我來說一點也不重要。同樣的，過去世我到底曾經有過那些「因」，有過那些「果」也不重要，重要的是我知道只要我從現在開始，好好的「過」我把握得住的每一分每一刻，那麼總有那麼一天，我可以達到圓滿的境界。

⑦如果爲了積功德才去做善事，唉！「盡信書不如無書」！有能力幫助別人爲什麼不去幫助別人呢?可以隨手拉別人一把爲什麼不拉一下呢?這個觀念……一個互助的社會，一個地球村的時代，能夠獨善其身，自掃門前雪不管他人瓦上霜嗎？

什麼叫做功德呢？乾脆請人做法會積功德吧！如果只是在經書裡打轉，縱使看遍並且貫通了所有的宗教經典，而偏偏不去身體力行的話，那麼眞理將永遠只是眞理，一個永遠一成不變的道、一成不變的眞理。因爲不去「力行」，所以永遠不知道這個「道」、這個「眞理」在這個時空，是否眞的「行」得通，是否有必要稍微修正一下，是否眞的可以到達您所想要到達的目的地。

## ※桃園市某小姐

從前，曾聽過一個人很害怕「黑」，問他「如何」，他也回答不出一個「究竟」。但你問他，睡覺時，閉上雙眼，眼前是不是一般黑？那麼又爲什麼不害怕？我想，他怕的是自己！其實，

能夠解釋的，就不叫做「愛」

能夠意料的，就不叫做「命運」

能夠說出口的，就不叫做「悲哀」

能夠喝醉的，就不是眞正的「醉」，而那……

喝的不是眞正的酒，而是「人生的滋味」

# 是因？是果？

# 因果故事的研析

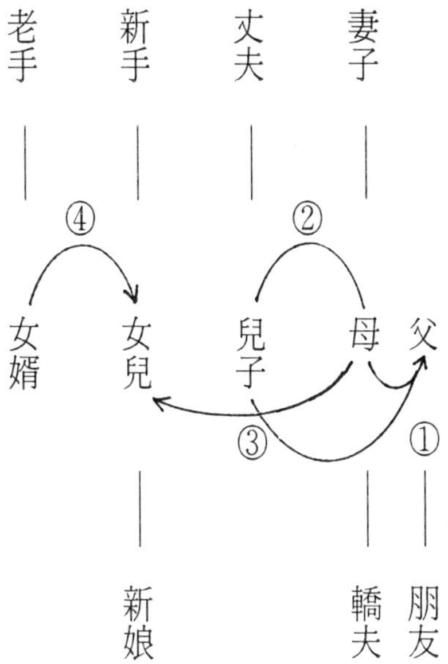

現場：母女同來，問父母之間、母女之間的因果。

## 過去世的因果故事

①父與兒子：朋友關係。

②母與兒子：夫妻關係。母是妻子，兒子是丈夫，與①發生在同一世的因果故事，在那一世裡，父為兒子的一個朋友。

過去世夫妻兩人共同惡意倒債詐財，妻子把這一倒債事件的責任推卸給丈夫的某一個友人（即這一世的父親）。這是惡意的犯罪行為，要償還的因果債很大。

③母與女兒：為花轎轎夫與新娘的關係。母是花轎轎夫，女兒是新娘。因雨後路滑，轎夫一時不慎滑倒，結果害得坐在花轎裡的新娘被摔到路旁的集糞池裡而溺斃。這是個料想不到的意外，所以要償還的因果債並不是很大。

④女兒與女婿：為登山嚮導老手與登山新手的關係。女兒是新手，女婿是老手。老手帶新手去爬山，新手心生害怕，一路提心吊膽。走到一危險處，左邊是山壁右

邊是萬丈懸崖，走在後頭的老手突然用手一拍前面新手的肩膀，新手一時緊張，心慌之際往右邊的懸崖掉了下去。這也是個意外，但是嚮導老手忽略了新手的緊張心態，這是嚮導該有的職業責任，是屬於該注意而沒有注意的錯誤行爲。這個因果比③的因果大，但比①②的因果小。

## 這一世可能的輪迴結果

㈠：因爲①②的關係。

我的假設——父親名下的財產無法傳承給兒子。

事實眞相——母親責怪父親投資不當，他名下的房子一再的抵押貸款，一再的被拍賣。

我的建議——不要一再責怪父親投資不當，應該趕快把房子賣掉淸償銀行貸款，減輕心理壓力，反正房子遲早都是保不住的。

㈡：因爲③④的關係。

我的假設——女兒平日非常膽小，沒有安全感，對生命有一種無力無常感。

事實眞象——女兒婚後不敢懷孕生小孩，因爲害怕會失去小孩，巧的是先生也接受太太的看法，不勉強太太生小孩。

我的建議——如果不生也就不勉強，但如果想生也不用害怕，因爲夫妻兩人並沒有傷害到別人，對自己要有相當的心理建設之後再懷孕。

# 潛意識的害怕心結

某先生問女友的身體狀況，但是女友本人並沒有來到現場。我反問他爲什麼要問，他說：「因爲有算命的說我女朋友明年可能會有車關，要特別注意。」

在某一世裡，有個人被馬車從後面追撞而撞傷了左腿的膝蓋，變成了左邊跛腳，因此在那一世的餘生裡他只好右手拄著拐杖走路。然而駕馬車的人卻渾然不知自己已經闖下了大禍而繼續往前開走（他並不是故意逃逸）。

「因爲過去世的這一個傷害，害得你的女朋友在這一世裡走在路上潛意識裡會比較沒有安全感，所以我建議她不要到靠左邊開車的國家居住。這並不是一般所謂的欠債還債的因果，也不是什麼因果病，而是因爲當時是從後面被追撞，沒有一點點的心理防備，又因為車禍而變成了跛腳，一輩子都必須拄著拐杖很辛苦的走路。偏偏又不知道到底是誰害了她，因此那一個眞相無解的車禍對她那一世裡的心靈傷害非常大，轉世之後就變成了一種很嚴重的潛意識害怕心結。這個情形就好像我們常說的——如果不怕還沒事，越怕反而越容易出事。因此我想那位算命的應該是沒有說錯。」

「陳老師，你說的車禍是已經發生過了，還是還沒有發生呢？」

「你說的是什麼意思，我聽不懂。」

「我的意思是說，你說那位算命的說的沒錯，也就是表示說我女朋友會有車關，那麼這個車關到底已經發生了沒有呢？」

「我還是沒有聽懂你的意思。」

「喔！是這樣的，我女朋友在去年已經發生了一次很大的車禍，剛好就是被撞到左腳，左膝蓋上下總共縫了四、五十針，我只是想明白你們所指的車關是不是就是這一次，如果是這一次，那麼就表示這個車關已經發生過了。」

「對不起！我並沒有說你女朋友就只有一次車關，我的重點是說她在這一世裡只要在街上行走就比較沒有安全感，因為有可能會因為過去世車禍的心結不解而一再的容易出事，所以我才會建議你，請你告訴她盡量不要住在靠左邊行走的國家，例如英國、日本等等。」

「我女朋友住在印尼，印尼是個靠左行走的國家，她就是在印尼發生車禍的。」

我在想，是否有些憂鬱症或躁鬱症等精神方面有問題的患者，是因爲過去世裡的某些潛意識心結無法獲得解答，情緒無法獲得紓解宣洩，而導致這一世裡異常的情緒反應。我在想，不知我們是否可以從因果的角度來幫這些人一點點的忙呢？

# 不能人道

說來也眞是巧，下午一點半有一個，兩點半又來了一個，難道在臺灣「不性福」的夫妻眞有那麼多嗎？可是放眼望過去，檯面上的政商大人物又爲什麼一個個都是「雙人枕頭」，甚至於是「多人枕頭」呢？而在對岸一大堆的「包二奶」又是怎麼一回事呢？

眞需要爲了「統、獨」問題而在這塊小小的島嶼上大吵大鬧省籍情結？大做省籍分化的文章、口水戰嗎？包二奶、大陸新娘，兩岸不是早就血水合而爲一了嗎？是臺灣的男人厲害呢？還是對岸的女人行呢？怎麼輸的都是臺灣的女人呢？也許幾年之後，這些「性福人士」所生下來的子女，他們對統獨又有一套新的見解，大概是所謂的「新中間路線」吧！

有沒有人「有心」做個研究做個統計看看，看看到底是「本省人」還是「外省人」在搞雙人枕頭在玩包二奶。有時候想想，光是男女問題都解決不了了，還談什麼國家民族！那些大談國家民族的大男人，有幾個眞正關心臺灣的「本土」女性呢？如果「認命」一點的話，誰叫我們這些人要出生在臺灣，而且還是女的。知道嗎？男人出家之後可以還俗幾次呢？女人出家之後可以還俗幾次呢？數千年前的男女不平等，爲什麼就很少聽到有人，不管是男人或是女人，不管是出家男衆或出家女衆，勇敢的站出來爲女性們說句公道話呢？

在臺灣的男人實在是太好命了！雖然法律規定男女平等，可是事實又是如何呢？不管是就業、升遷、薪水待遇、處分財產等等，那一樣平等過？性別歧視、重男輕女的現象隨時可見。（這一點值得注意，因爲根據我的因果經驗，守法與否是輪迴轉世的一個重要因素。）我以爲女人應當要回過頭來反省自己，不要自暴自棄、自甘墮落，多給自己一點掌聲、一點鼓勵，力爭上游突破困境才對。

不過，臺灣的女人不要難過，反正臺灣的法律是「一夫一妻制」，因果理論裡強調的是要守「戶籍時空」那個國家的法律，所以如果不是過去世「欠」先生的，放心好了，老天爺不會忘記這些「太性福」的男人的。老天爺不是偏袒女人，祂也只是依法辦事而已。

來！讓我們來看看這一篇的主角怎麼了。兩點半的那一位女士，她的因果故事很簡單，在過去世裡，她是個商業間諜，偷取了另一家公司的機密文件，對方在這一世裡變成了她的丈夫。結婚之後，就一直沒有在一起「性福過」，爲什麼呢？因爲先生生病了，這不打緊，太太和娘家的人都盡心盡力的照顧這一位男士，可是他卻偏偏懷疑他們另有所求，到處「告」他們。雖然這位男士從生病開始，一下子割下腳趾頭，一下子鋸下小腿……一段段往上「截」，但是他對太太的口頭禪就是：「我一定要把妳鬥垮，我一定要抓到妳的把柄！」不要以爲他是說著玩的，他都是來眞的……。總之不知道爲什麼他的「報復心」非常非常的強烈，然而做太太的卻什麼也沒有做錯，可憐的是，她也逃不出他的手掌心。

另一個主角又是如何呢？我問她想要知道些什麼，她說她想要知道她和先生在過去世裡有沒有因果關係的存在。

「我看到你是一個獄卒，監獄裡關著一個敵軍的將領，由你負責守衛。這個將領告訴你他家中有老母……，沒想到你被將領的話給感動了，居然開門讓他逃掉了。過了沒多久，他卻率領著一批人來攻打你這個部隊，就因爲你的婦人之仁害得全營的弟兄們全部犧牲了。當他面對面看著你的時候，你才恍然大悟，才知道自己錯了，被騙了，雖然如此，他還是把你給殺了。不過當時是在戰場上，如果他不殺你，你也會被自己的人所懷疑，所以他還是選擇把你給殺了。」

「當然了，也許你不放走他，他的同伴也會來攻打你們的，你們還是死路一條，這個因果我們姑且不管，因爲在這一世裡並不重要。在這一世裡要處理的是——你放走了這位將領，他卻反過來親手殺死了你——的這一段因果。從這個故事就可以知道你們夫妻的關係會很僵很怪，因爲基本上兩個人一定是站在對立的角色，而且他還恩將仇報，在因果而言，有錯該還的人絕對是他，不是你。你有什麼問題嗎？」

「我先生從結婚第一天開始，就不和我同房，可是他是獨子。」

「這很正常，因爲他怎麼可能有臉面對你呢？他的潛意識裡直覺的就是不敢面對你就是了。他的家人知道嗎？你家人知道嗎？他們又是怎麼說呢？」

「我婆婆知道，但是她什麼也不說，我爸爸也知道，他說他會找時間來和我婆婆談一談。」

「我的建議是你先和你爸爸溝通好之後，再由他和你婆婆談，要讓對方來個措手不及，不要有討價還價的餘地才行。也就是說，我勸你離婚，早離早好，就算你爸爸和你婆婆談，如果只是應酬似的談一談，那根本就是多此一舉無濟於事，因為你們夫妻倆的這種關係根本就很難有辦法可以改善。既然是他不敢面對你，那麼你就放他一馬吧！由你爸爸向你婆婆提出離婚的要求，這樣子他們就比較不會拒絕。離婚之後，自由了，你當然可以再去找其他的對象。不要那麼傻！該離的時候就要離，離婚並不是一件可恥的事。」

# 唐氏症的兒子

一女士問與兒子的因果。

某一世，兩人都是男人，在做互相舂米的舞臺表演工作。平日兩人的感情就不太好，有一天又爲了某事起爭執，一方（媽媽）不滿，趁著在舞臺上表演，而對方（兒子）完全沒有心理準備的狀況下，利用木槌攻擊對方的頭部，害得對方在幾天之後因此傷害而死亡。雖然那一世兇嫌逃逸無蹤，逃過了法律的制裁，但卻逃不過自己的黑盒子。這一世，兇嫌轉世爲媽媽，被打死的男人轉世爲兒子，兒子出生就有先天的唐氏症。

女士以爲兒子的唐氏症是遺傳，因爲小叔小姑那邊也有類似的情形發生，女士又以為是殺生所引起的，因為公公婆婆兩人都是從事殺雞的工作。但我的結論並不是遺傳也不是因為公婆殺生的緣故，因為我是在未知結果（兒子一出生就有唐氏症）的前提下調出了過去世相關的因果資料——同樣都是傷在腦部。為什麼會是如此呢？是巧合嗎？還是老天爺想藉此隱喻透露訊息呢？

將這些人轉世為一家人，也許是老天爺藉此希望世間人注意某些事情。例如思考遺傳上的問題，雖然從因果角度而言未必一定是遺傳，但也有的案例，我的答案眞的是遺傳上的問題，可是這種案例並不多，這實在是值得深思值得研究的問題。

我也曾經碰到過有幾對夫妻而先生不能人道的案例，也曾看過某些植物人的因果畫面，在我的訊息裡都是因為過去世的因果關係而造成這一世的困擾。但是依目前的科學儀器與技術有什麼方式可以證明我的看法値得大家探討呢？就是因為沒有辦法可以完全證明過去歷史上曾經發生的一切，包括一切的思想與行為，所以老天爺只好利用醫學上遺傳的結論，讓世間人比較甘心去承受去償還。

舉個例，譬如在某一世，媽媽與兒子是朋友的關係，媽媽假藉生重病缺錢治療，向兒子借了一大筆錢，事後不但不償還，並且還責怪兒子記性不好誣賴他欠錢。

在這一世裡，老天爺就眞的讓媽媽生病了，也許得的病就是她在那一世裡所騙人的那一種疾病。而寶貝兒子也得了和媽媽一樣的病痛，媽媽以爲兒子的病是遺傳自自己而覺得很愧疚……。

如果我們再繼續「編」故事下去，如果這一世裡，是父親拚命賺錢供妻子和兒子看病，那麼我們就可以這樣的假設——也許在同一世裡，父親就是逼媽媽向兒子借錢而拿去花用並且拒不還錢的人；也許有可能是在另外一世，父親是同時欠他們兩人因果債務的人，例如父親是他們的後母，虐待他們；也許在另外一世父親只是欠媽媽一個人的因果債，例如父親偷了媽媽的錢，但是父親欠媽媽，媽媽欠兒子，自然也有可能演變成父親也欠兒子了……。

注意到了沒有？這個做兒子的可眞是倒楣透頂，因爲在過去世裡他沒有做壞事，只不過是和對方感情不好起了爭執，何況在那一世裡被打死就已經是夠冤枉的了，到了這一世卻還得變成一個唐氏症的患者。因果輪迴如果演變到這種地步，似乎是不太合情合理，可是這又是怎麼一回事呢？這就牽涉到如何原諒與寬容別人的因果重點了。

因果輪迴轉世的重點，一般而言是角色互換，換過來體驗對方當時被你欺負時的心境。可是這有一個前提，那就是受傷害者決定要自己來轉世，自己親自來要債，既然是來要債，那麼就必須「有理由」可以讓對方「有機會」還債才行。於是那些被悉心照顧的殘障者或其他一些處於弱勢的人，也許在過去世的因果故事中反而是債權人也說不定。

如果，債權人原諒了對方，寬恕了對方在過去世裡的所作所爲，也不希望因此再來轉世討債的話，那麼這些人當然就可以選擇不必爲此轉世。就算因爲別的因素還是必須來轉世時，倒也不用擔心會和被寬恕的債務人扯上什麼恩怨情仇。原諒別人，多給別人一條生路，多給別人一份希望，老天爺自會替你作主，爲你多開一扇窗戶的！

至於那些被債權人原諒的債務人呢？他們逃得掉因果嗎？門兒也沒有！也許他們開車就莫名其妙地撞到電線桿或衝入海裡，或被掉下來的招牌、樹幹給打得頭破血流，或是被天災害死等等。總之，躲得過債權人，卻永遠躲不過自己的內心和宇宙的法律。

# 犧牲自己的哥哥

這是一個很短的因果故事。

對方是個三十多歲的男士，他問與父親的因果關係。我的畫面很簡單——一大塊布就像是一條大大的床單，兩頭各有一個人用手拉著，突然在我視線左邊的這一位男人抽刀狠狠的把布從中削斷了。我的畫面常常有類似兩個人一起扭乾大床單的鏡頭，這個解釋是指兩個人互相幫忙通力合作，是種譬喻式的畫面。雖然出現在我眼前譬喻式的畫面也許大同小異，但是輸入我腦袋瓜的因果故事卻不見得一模一樣。而抽刀削斷床單又是怎麼一回事呢？

這還是個譬喻式的畫面，原來在某一世裡，這一對父子是一對兄弟的關係，父親是哥哥，兒子是弟弟。父母早死，哥哥一手拉拔弟弟長大，到了相當的年紀，哥哥期盼弟弟能夠獨立自主，偏偏弟弟在哥哥的羽翼下，一點都沒有意識到自己必須學會成長學會自立。眼見弟弟如此不懂世事不想面對現實，哥哥覺得事態嚴重，既然軟的行不通，於是只好毅然決然的把弟弟給拋下，希望他能有所覺悟。但天不從人願，弟弟並沒有因爲哥哥的離去而有所警惕有所成長，反而被環境給打敗了。哥哥知道之後懊悔得不得了，總覺得是自己阻礙了弟弟的成長，害了弟弟一輩子。

從因果的角度上分析，如果只是單純過去這一世的行爲而不牽涉到上上一世的因果關係，那麼這個做哥哥的根本就不欠弟弟，完全就只是弟弟自己一個人的問題而已。好了，哥哥死了之後，覺得他自己必須爲弟弟的不能獨立負責，於是向老天爺申請再來轉世幫助弟弟，用他自己認爲可行的方式再來親自教導弟弟，什麼樣的一種方式呢？各位您看了之後，也許會覺得不可思議，覺得是我這個通靈人在編故事，沒關係！我的重點只是希望大家不要死守著一般對因果的解釋——「欠債還債」的觀念。其實因果輪迴轉世的原則並不是墨守成規一成不變的，尤其是碰到一些「很有心」的人。

「你過去世的哥哥轉世來做你這一世的父親，他老人家最主要的目的就是想辦法讓你在這一世裡能夠學會獨立自主，他並沒有欠你，你也沒有欠他，你們之間的因果關係是好的。」

「這一世你夠獨立的了！」他身邊的幾位朋友異口同聲的說著。

「爲什麼呢？」糟糕！又來了！覺得好奇的人居然又是我！如果他們不說我只有一頭霧水，我不會就此罷休的，我會想辦法印證的。

「我父親在我小學四、五年級的時候就得了輕度中風，家中……後來……。」

我也相信這一位男士在這一世裡眞的早早就學會獨立了，這一路走來他也許因此而碰到了很多的挫折很多的困頓，但是坐在我面前的卻是一位和善謙虛的精神科醫師。他的父親爲了讓過去世裡的弟弟成長而選擇了讓自己在這一世裡中風，這樣的因果故事，您能夠相信能夠接受嗎？

我很喜歡也深受感動。

# 自殺後遺症

她，三十多歲，一開口就這麼說：「我在這一世裡，常常會看到自己的靈魂跑出去。」各位，如果您是我，該怎麼回答呢？我是這麼說的：「對不起！我聽不懂妳的意思。」「是這樣的，我的靈魂常常會自己跑出去，有時候我會看到靈魂就在我自己身體的左邊；有時候在看電視的時候，也常常會整個人恍恍惚惚搖來搖去的；而晚上睡覺的品質也非常的差。我不知道這到底是什麼原因？有沒有什麼特別的因果關係呢？」好一個有挑戰性的問題，只可惜她先告訴我最後的結果了。

故事很簡單就像我們常在報紙上看到的一些社會新聞，以前也許不太多，但是近來因爲景氣出了問題，這一類的新聞已經是見怪不怪了，不但不再是新鮮事，連人權的問題也被忽略了。其實第一次從電視上看到這類新聞時，周遭的人也曾經問過我，這類新聞的發生是不是因爲這些人在過去世裡有因果關係的存在呢？如果不是因爲過去世因果的關係，而純粹是這一世裡的所作所爲，那麼到了未來世老天爺又該怎麼處理呢？當時我沒有回答，因爲問的人不是當事人，也不是關係人，基於職業的道德，祂們根本就不會調資料給答案。

眞好！有個當事人來了，各位當您看到這裡的時候，請先閉上眼睛，打從內心謝謝這一位年輕的女士，就是因爲有一些人來問些奇奇怪怪的問題，所以我才有故事可以充實出書的內容，作爲大家的借鏡。

在某一世，這一位女士是個女人，她的先生不顧家常常往外溜，夫婦倆育有兩個兒子。有一天，夫妻兩人又口角了，妻子一氣之下趁著先生和孩子們都外出的時候，喝下了一大瓶的農藥企圖自殺。就在臨死之際，孩子們突然提早回來，見到媽媽出事了，於是大聲的哭喊著，死命的搖著媽媽的身體，希望媽媽不要死掉。想想，如果您就是這一位媽媽，在這最重要的一刻聽到心愛兒子們心碎的哭叫聲，您，忍心拋下他們嗎？放得下嗎？嚥得下最後一口氣嗎？還走得了嗎？如果是我，我一定會很後悔自己的衝動，我一定會「拼死命」的想辦法再讓自己活過來。女士的靈魂就這樣在自己的肉體間進進出出，但是……，一切的一切都已經……。

在我的因果故事中常常會看到一些在過去世裡特殊死法的人，在轉世的過程中帶著很大的後遺症，自殺就是其中的一種。「自殺」是會成癮變成習慣的，就連轉世的時候也不例外。老天爺爲了讓這些人能夠了解生命的價値、生命的可貴，於是就讓這些人一再重複修習同樣的課題，直到這些人想通了也做到了——「想到了不應該用自殺來解決問題，因爲自殺根本就解決不了問題；做到了勇敢的面對問題，並且試著慢慢的用其他的方法去解決問題。」問題一世解決不了，來世還可以再繼續努力，因爲因果的輪迴轉世本來就是永續經營的，唯有想通了做到了，那麼才可能有機會從自殺的輪迴裡跳脫出來。

可是您應該要有一個疑問才是，您應該要問我說：「這些人是一再的自殺沒錯，可是被他們自殺行爲所害的卻是他周遭的親朋好友。」對！也許這些親朋好友在過去世裡跟這個人扯上了一些因果關係，但是也有某些人在自殺死了之後，並沒有任何人同情他，爲他掬一把眼淚，說不定背後還說：「自殺最好了，省了我們這些人的麻煩。」瞧瞧！死得多不値得多沒面子啊！早知道就活得好好的讓別人刮目相看不是很好嗎？也省得下一世還要再來重複類似的考題，多累啊！

所以如果您發現周遭的親朋好友似乎心神不寧或者躁鬱不安的時候，如果可以、如果方便的話，不妨和他們談一談，至少讓他們有個人可以傾吐一下，那麼我相信自殺的案件會少很多。您根本就不需要知道您跟這些人有沒有因果的關係，有機會可以讓您伸出友誼的手拉他們一把，爲什麼要吝於付出呢？

# 紅斑性狼瘡的女孩

她和媽媽、阿姨一起來，高一。媽媽是個模範小學教師，可是卻無法管教這個獨生女，因爲女兒常用一句話頂媽媽：「誰叫你把我生出來，把我生成這個樣子。」什麼樣子呢？小妹妹從小就得了紅斑性狼瘡，常常要打類固醇的藥，整個臉看起來就像個麵龜，媽媽爲此總覺得很對不起女兒。

現場，小妹妹不肯好好坐著，走來走去。當三個大人談話時，她有一句沒一句的插話進來，對媽媽講話的態度也不太友善。

「妹妹，我的大女兒和你同年紀，我的二女兒小你兩歲，她們也曾經和你一樣，對我這個做媽媽的說過類似的話。我女兒說：『媽媽你爲什麼不把我生成像爸爸一般的身材，像你一樣的眼睛呢？』你知道我怎麼回答嗎？」

「我說：『每一個做媽媽的都有權利選擇要不要懷孕生小孩，但是卻都沒有任何權利可以選擇到底要生下一個什麼樣的小孩。』你責怪你媽媽把你生下來，生成這個樣子，害你受罪，可是我倒是覺得你媽媽應該責怪你才對，誰叫你自己要來投胎轉世當她的小孩呢？還帶了病來轉世，害得你媽媽陪著你一直在受苦受罪。她愛你、疼你、關心你、照顧你，還得要被你罵！知道嗎？做媽媽的只能決定要不要有小孩、生小孩，並沒有指定、也不能指定誰來投胎當她的小孩。是你自己要來當她的小孩的，沒有人請你來！想清楚！有那一個媽媽有辦法可以指定誰來當她的小孩嗎？」

「阿姨，從小到大，沒有人可以頂得過我這一句話，你是第一個。」小妹妹很開心的對我說著，趁這個時候，我問她唸什麼學校。

「高職電腦科一年級，阿姨，你知道嗎，我是我們班上打字第一名。」

「眞的，你用的是什麼輸入法呢？」

「無蝦米。」

「阿姨也是用無蝦米，《如來的小百合》就是我自己一個字一個字打出來的。

來，我來考考你。」

於是我考了她幾個字，然後還和她比賽，原來她還不會無蝦米的兩碼快速字表……她很開心地就坐在我旁邊和我聊了一陣子。

但願當時的我就這樣解開了她的心結，有病何妨？有個眞心關愛她的媽媽那才是最重要的。

# 夫妻的共業

某女士問夫妻兩人之間的因果。

某一世，兩人同爲某一布店裡的員工，一個愛用一般的直剪刀，一個愛用有鋸齒狀的曲剪刀。兩人常爲了要用什麼樣的剪刀剪布而在客人面前大起爭執，結果把客人給氣光了，店也倒了。兩個員工在被老闆大罵之後，互相持剪刀刺傷了對方。在這一世裡，先動手刺傷人的員工轉世爲女人做妻子，另一個員工則轉世爲男人做丈夫。

這一世裡的事實又是如何呢？這對夫妻當著一屋子的人告訴我，他們夫妻兩人同在一家公司上班，爲同一個老闆做事。每次丈夫想辭職不幹時，妻子偏偏就不想走；妻子想離開時，丈夫卻又不想走了。就這樣一直沒有共識，結果夫妻兩人已共同為這個老闆工作了十多年，也為他賺進了許多錢。

類似這種的例子很多，在某一世裡，幾個人也許因為同一事件而共同欠某一人或欠某幾個人時，老天爺常常會在另外一世裡，設法將這幾個人安排在一起，共同來償還這筆業障。公平嗎？合理嗎？各位讀者您以為呢？

# 希特勒的部下

這是我到臺南時一個讀者的因果故事，光看這個題目，相信大家一定是一頭霧水，沒關係，請當作看小說一般地看下去，這個因果故事還滿耐人尋味的。

她是一位四十歲左右的婦人，氣質很好，在碰面之前，我只知道她很聰明，曾經在一家非常有名的會計師事務所上班。她問道：「請問我和我先生還有我婆婆之間有什麼因果呢？」就這麼簡單的一句話。通靈對我來說，的確是一種相當大的挑戰，相對的也唯有透過別人家的因果故事，我才可以知道，在我們生存的時空中，以及不知「藏在何處」的不同時空中，是否眞的有所謂因果輪迴轉世在冥冥之中左右著我們的命運。

我的畫面再簡單不過了，一個像是橫寫的阿拉伯數字「∞」。各位不妨想一想，就這麼一個圖形「∞」，祂們到底要在我的腦袋瓜中輸入什麼樣的資料，我才能夠編出一個可以得到印證的因果故事呢？我一再的強調，也許是因爲「黑盒子」和「超級電腦」的理論基礎，所以我知道爲什麼我可以看得到畫面，但是我就是不知道爲什麼我會解釋畫面的含意。就是因爲不知道爲什麼，所以我才會對自己感到好奇，也才想到和各位分享我的經驗。

「你和你婆婆的關係有點像是雙胞胎，但是並不是眞正的雙胞胎而是很好的一對朋友，兩個都是女的，有點像是一般所謂的手帕之交。」

「問題是有一個男的出現了，於是變成兩個女的搶一個男的。事情是這樣的，這個男的本來是和你婆婆交往，兩人相處得非常好，而且也談論到婚嫁，後來你也喜歡這個男的，於是設計讓這個男士和他的女友（婆婆）因爲誤會而分手，不知情的男士於是轉過頭來和你交往，並且和你結了婚。你聽懂了嗎？這個男的就是你這一世裡的先生，也就是說，本來你先生和你婆婆是一對非常要好的戀人，你從中破壞。在那一世裡，一直到結婚之後，你先生才知道原來是自己的太太破壞了他和前一位女友的戀情，於是對那個因誤會而分手的前女友感到非常抱歉，而夫妻兩人之間的感情也因此而大打折扣，先生常常晚歸。至於那個被誤會的女孩子，在那一世裡一直都不知道加害她的人居然是自己最要好的閨中密友。」

「所以在這一世裡，會有一個可能，那就是你先生可能會有外遇，但是話又說回來，因爲在那一世裡他所愛的對象是你婆婆，而且他也覺得虧欠她太多，所以也有可能會有另一種情形發生，那就是只要你和你婆婆之間有任何問題，我可以跟你保證，輸的人一定是你，你先生一定會站在你婆婆那一邊的，總之不管怎麼樣，你完全處於下風就是了。告訴你，這種例子我們看過太多了。」

各位，我的功力如何呢？也不過是一個簡簡單單的圖形「∞」，我卻說了一大串的因果故事。我眞的不知道爲什麼我可以收得到訊息也可以翻譯出故事。

「我了解了，多年來的困惑解決了。謝謝你！陳太太！你知道嗎？我先生在這一世裡並沒有外遇，對我也很好，只是只要一牽涉到婆婆的問題，我就全盤皆輸。我先生已經死了，他死了沒幾天，就託夢給我，說他有一件大事要我代他處理，結果在他死後不到一個月的時間，我婆婆也跟著莫名其妙死了。」

「還有，在我先生死前不久，他還跟我說了一句讓我覺得很難以接受的話，他說——我覺得全世界最可憐的人就是我媽媽。」

原來，原來這位女士的先生和婆婆在一個月內相繼死亡，先生把婆婆也帶走了。

「我能不能再請教你一個問題，爲什麼我家裡有好多武器呢？」天啊！這是個什麼樣的問題呢？我根本就不敢多問，心裡只是納悶著到底在什麼樣的情形之下，家裡才會有好多的武器呢？

「也許吧！也許你先生前世是個研究武器的人吧！」我順口一答。當時，我們是在臺南市一條小巷的咖啡館內，下午將近三點鐘的時候，南臺灣的陽光從左側的窗戶照射進來，感覺好舒服。只是在這個時候，我的眼前清清楚楚的浮現了三個字，沒什麼啦！三個字而已：「希特勒」！

「希特勒」！很清楚但也是一閃而過。糟糕，這三個字要怎麼解釋呢？怎麼印證才能證明對不對呢？我當然知道祂們讓我看這三個字所代表的含意，只是我要如何說明呢？眞是把我給考倒了。畫面有了，訊息也有了，這都是祂們給的資料，但是要如何印證卻得靠我自己的推理了。

「讓我想想，我要如何形容你才能夠聽得懂。我先問你，你先生的個性是不是很服從命令呢？」

「對！我覺得他在某些時候，眞的是很服從命令。」
「我指的不是一般的服從命令，我說的是像軍人在軍隊裡那樣的服從方式。」
「是啊！我了解你的意思，我先生眞的就是這樣。他在結婚前還曾經想要去投考軍校呢！」好了！我可以鬆口氣了！
「你先生曾經在某一世裡是希特勒的部下，而且他的工作是專門在做武器的研發與測試。」我告訴她我所看到的那三個字以及所代表的含意。
「怪不得！我家的書櫃裡擺了一大堆有關於希特勒的書籍，你知道嗎？我先生到處去收集跟希特勒有關的書，連出國的時候也是一樣拼命的找。」
「怎麼可能呢？怎麼會有這種可能呢？怎麼會那麼巧呢？」說話的人是我。這個時候的我，各位，我用自己的左手直拉著坐在對面這位女士擺放在咖啡桌上的右手……。
「我可不可以再請教你一個問題呢？我很想知道我先生和我弟弟他們兩個人之間到底有什麼樣的因果關係呢？」
「我看到的畫面好像是在一個野戰醫院裡面，你先生躺在開刀床上，一位外科醫生正在爲他開刀，想要取出他左腰上的一顆子彈。喔！那個醫生就是你弟弟。我知道了，這個故事一樣是發生在希特勒的那個時代。你先生中彈後被送到醫院，負責開刀的好像是紅十字會組織的醫生，是個法國人，也就是你這一世的弟弟。所以我想你弟弟應該對法國有一種比較特殊的感情。」

「對啊！我弟弟的確是很喜歡法國！」

「這個研發武器的希特勒部下，躺在手術床上眼睜睜地看著這個法國醫生正在爲自己的傷口而努力著，法國醫生根本就忘了手術刀下的這個人曾經是殺人魔王的手下。這個場景讓這位武器專家看傻了眼，也讓他有了一種截然不同的感受，那就是——爲什麼這些人沒有怨、沒有恨、更沒有仇呢？爲什麼這些人不會互相殘殺呢？爲什麼他們的心中就只有救人而不是殺人呢？這瞬間的轉念讓他覺悟了！他知道他錯得有多離譜了！」

「雖然最後這個法國醫生還是沒有辦法救活這一位武器專家，但卻救活了他的心靈，醫生在病人臨終前的那一刻，把眞正的愛心毫不保留的展現在他的面前。」

「我能請問你一個問題嗎？請問一下你先生在這一世裡的職業是什麼呢？」

「喔！我先生是一個非常非常有愛心的醫生！」

在這之前我只知道這位女士的弟弟是個精神科醫生。後來，我有機會和這位女

士的弟弟和弟媳婦碰面，

「我姊姊家裡，擺了一大堆武器的模型，我姊夫死後，有人想收集這些東西，他們說光是這些模型就值一百多萬。你知道嗎？我姊夫到處去收集這些模型，每一種他都買兩份，爲的就是怕做不成功。」弟弟說道。

「你的意思是說你姊夫都是自己親手組裝這些模型嗎？」我問。

「沒有錯！我姊夫的手很巧，所有的武器模型全部都是他自己組裝完成的。」

「我上次去姊夫家的時候，看過他們家的書櫃，裡面眞的有好多好多有關於希特勒的書。」弟媳婦接著說。

誰能告訴我？那到底是個什麼樣的時代背景呢？居然能夠讓這位希特勒的部下帶著這麼強烈的前世記憶來轉世。也許在過去世裡他錯了，但是在臨終那一瞬間的「轉念」，卻讓他整個覺悟了。他有心改過，連這個「有心改過」的信念也強烈到影響了這一世，因爲他也選擇當個醫生而不是進軍校。雖然他只活了短短的數十寒暑，但是絕對值得，他用自己的職業證明自己有心改變，雖然他還是迷上了武器，但那只是興趣。

如果可能，如果有可能的話，多麼希望我也能夠像那一位法國醫生一樣，在日常的生活中、在職業的生涯裡面，能夠讓周遭的人或多或少感受到我對他們的關懷。

多麼希望這種「關愛的眼神與力量」是一種在常溫的空氣中很容易迅速傳染開來的有益細菌。「心靈改革」絕對不是一種口號，它應該是一種力量，一種實踐的力量，只是這種改革力量的來源不是別人，是自己。唯有每個人都能夠從自己先改革起，那麼這個社會才會有救，如果老是一天到晚在喊口號，老是等著別人來起頭來帶動，那麼所有的願景都將只是個願景，永遠沒有圓夢的一天。

# 小脚

週六下午的座談會，一位先生問他自己和父親的因果。

某一世裡，父親是個女人，輩份是祖母，這位問事的先生則是她的小孫女。小孫女，只有四、五歲的模樣，祖母總是喜歡為她綁小腳，雖然小孫女百般的不願意，卻又沒轍。偏偏祖母又為了怕別人幫她綁得不夠緊，於是每次都老人家自己親自動手。到了十一、二歲的時候，小孫女一氣之下，暗藏了一枝木棍，趁著祖母低頭為她綁小腳的時候，從正前面朝祖母的頭上打了下去。隔了一陣子，祖母因此傷害而死亡。

這個案例，小孫女的年紀還小，祖母的要求也許過分了點，但那是個時代的無知與無奈，所以小孫女欠祖母的並不多，祖母欠孫女的也不多。但是站在基本面來探討的話，在這一世裡，兩個人一定會是處在對立的立場。

事實又是如何呢？這位先生說話了：「我和我父親眞的是非常沒話說。」

坐在一旁帶他來參加座談會的朋友也說話了：「陳太太，你知道嗎？他的腳眞的是非常的小，我告訴你，他穿的是五號半的鞋子。」各位不妨想想看，五號半的鞋子到底有多「大」呢？

# 搶劫運鈔車

先生問他自己和妻子在過去世裡是否有因果關係。

某一世，先生是個開運鈔車的司機，太太則是個搶劫運鈔車的匪徒。搶匪傷了司機之後，再把運鈔車裡的錢給全部搶走了。

「如果照訊息來解釋的話，太太欠先生，照理說你太太應該要對你很好才是。」

「我的學歷比太太低，也只是個計程車司機而已，可是她對我非常好，連她的家人也都對我很好。」

「可是在那一世裡，她不只是傷害了運鈔車的司機，她還搶了錢，所以在這個因果故事中，牽涉到了兩個因果債，一個是匪徒傷了司機，也就是你太太欠你的，另一個是匪徒搶了運鈔車裡的金錢，也就是你太太欠金錢的所有人。我的訊息裡，那部運鈔車就類似現在公家銀行的運鈔車，如果以臺灣而言，就好像是中央銀行或者是臺灣銀行的運鈔車。根據我所了解的一般因果法則，照理說你太太在這一世裡還必須償還公家銀行的錢。」

「那我完全明白了，我也知道我該怎麼做了。不瞞陳太太，我們在南投有買一間房子，平常是租給別人，而房子的所有權人就是我太太。這一次的九二一大地震，我們的房子全倒，政府雖然補償了我們二十萬，可是我們卻還欠銀行三百萬元的房屋貸款，房子的貸款銀行就是臺灣銀行。我回去之後會想辦法把我開車所賺來的錢重新好好分配一下，欠臺灣銀行三百萬元的房屋貸款我一定會替我太太繳清的，因爲在這一世裡，她眞的對我非常好，我不想看到她下輩子還必須爲了償還銀行貸款的因果債務而受罪。」

一個好有心的先生，這個太太眞幸福。

# 殺手輓歌

這是一對一的服務方式，她的年紀大約是四十出頭，五官端正，穿著也很整齊，她未開口之前我已在紙上寫著——外表柔弱、個性堅強、愛面子、好勝心強、急於表現、愛掌控他人……。我說話了。

「妳的外表和妳的個性完全不一樣！差得太遠了！妳想要問什麼呢？如果妳的個性眞的就是我寫的這樣，那麼妳的婚姻已經出問題了。」

「我有兩個兒子，我想問我的大兒子。」

「我覺得出了問題的人應該是妳才對。」

「可是，可是他和一般的人不太一樣。」

「祂們還是說出了問題的人是妳，不是他。」

「可是他眞的和一般的人不太一樣。」

「怎麼不一樣呢？」這個女人啊！大概又要被祂們罵了。

「他現在讀高中，可是和一般正常的人不太一樣。」她還是不肯明說，我也不示弱。

「怎麼個不正常法呢？」

「我兒子不愛唸書，有時候，他常常到了十一、二點才回家。」

「在臺北這個年紀的孩子也常如此啊！很正常，沒什麼特別啊！也許是因爲妳住在比較偏遠的地區，所以才會少見多怪。祂們給我的訊息是，如果妳想要改變妳兒子，就必須先從先生著手。」

「可是我先生自己也常常去打電動玩具，整晚不回家。」

「一個星期去幾次呢？他都是禮拜幾去打的呢？」不知道爲什麼祂們要追根究柢，反正我只是個翻譯者而已，我也是一樣在等著看故事的發展。

「我先生大部分都是星期五晚上或是星期六晚上去打，然後就打通宵。」

「這也很正常啊！連續假嘛！我不知道妳到底想要說什麼？想要知道什麼？從

妳的話裡，我可以知道妳眞的是很喜歡掌控別人，這個年紀的小孩，有幾個肯乖乖的讓大人掌控呢？妳不能要求別人變成妳所希望的那一種人。」

「可是總不能說孩子這個樣子，我就隨他去，通通不管他吧！那以後怎麼辦呢？」

「當然不是通通不管，該說的時候，還是得說，祂們給我的訊息還是一樣，妳還是得從妳先生下手才有辦法改變妳兒子。」

「可是我只要一數說我兒子或我先生，他們就會給我臉色看，很會罵我、瞪我，有時候不高興起來還會到處亂摔東西。」

「是啊！我一開始的時候，不就已經跟妳說了嗎？妳的婚姻已經出了問題。根據我的經驗，一般的女人如果有了類似像妳這樣子的個性，通常婚姻多多少少都會出問題的。好！我調因果看看！」

扯了老半天，也不知前因後果就先罵人，對我來說，這的確是需要有相當大的勇氣。就憑著「信任祂們」，接收到什麼就翻譯出什麼，這是我對「通靈」的一貫原則，所以上門來找我的人還眞的是要和我一樣——一樣需要有相當大的勇氣。

畫面——在一個森林裡，陽光亮麗，一個一身黑衣的男子，向左揮刀殺了一個人，向右一轉，又殺了另一個較年輕的男子。畫面往前拉近了些，黑衣男子扯下了臉上的面罩，向躺在地上奄奄一息的年輕男子露出了邪惡的笑容。喔！我知道了！可是我該怎麼說才好呢？這個故事說起來挺傷人的。

「你先生和你大兒子在某一世裡是一對父子關係，兩個人都有少許的武功基礎，而妳是一個男人，一個認錢辦事的職業殺手。在那一世裡，妳收了錢之後去執行妳的任務，先殺了這一對父子中的父親，一刀畢命，再回頭殺兒子。花錢雇你的人的確是和這一對父子有深仇大恨，可是你卻和這對父子扯不上半點關係，也沒有任何的糾葛，純粹只是個拿錢辦事的第三者，錯就錯在這裡了。」

「妳懂我說的因果故事嗎？那個兒子在臨死之前看到了殺手的眞面目，所以在這一世裡，只要他一見到妳，就會莫名其妙的滿腔憤怒，尤其是這個時候，正是當年他被殺死的年紀，所以情況一定會更嚴重。我勸妳少穿紅色的衣服，因爲他臨死之前的畫面是停留在父親流血斷氣和你的盧山眞面目上。」

「怪不得，我穿紅色衣服的時候，他的脾氣就會特別壞，甚至於還曾經把整支電風扇拿起來向我砸過來。原來我和他們並沒有眞正的因果關係，就只因爲我是一個拿錢辦事的職業殺手而造成了這一世如此悲慘的命運。」這位媽媽掉淚了，整個聲音也緩和了許多。

「因爲妳先生和妳兒子在過去世和這一世裡都是父子的關係，所以如果妳想改變彼此的關係，一定要從先生著手起。」

「陳太太，你知道嗎？我先生非常疼愛我的大兒子，他們兩個常常一起拿我出氣，可是我先生在外面的風評非常好，他是學法律的，不但溫文有禮，又很會照顧別人，說出去沒有人會相信我的話。」她又哭了。

「沒辦法，他們是一對受妳殺害的父子同時來轉世的啊！」

「不過我必須提醒妳一件事，在過去世裡，妳的小兒子和妳的因果關係是一對恩愛的夫妻來轉世的，妳是丈夫，而妳的兒子是太太。丈夫非常照顧太太，但是太太的懷孕過程卻老是非常痛苦，最後也是因爲難產而死掉的，因此在這一世裡妳的小兒子有可能常常會有腹痛的情形發生，這一點妳要特別注意。」

「對啊！我小兒子，從小就老是有莫名其妙的腹痛發生，可是看了好多醫生，怎麼查也查不出來到底是什麼原因。」

「不過，這並不是他的錯，在轉世的過程中能夠存有過去世裡的某些記憶，一來有可能是特殊的因果關係，二來也有可能是這個記憶的印象實在是太深刻了（例如自殺的後遺症），第三個原因則因爲他是修行不錯的人來轉世的。你的小兒子是屬於第三種的，他心疼你自己一個人在這一世裡可能會撐不下去，因此向老天爺申請同時來轉世以便就近陪伴妳。所以他是這一輩子支撐妳活下去的最大力量，妳不能讓他失望，如果妳選擇做傻事來結束妳自己的生命，那麼我可以告訴妳，妳這個小兒子大概也活不久了。」

「這是眞的，我小兒子對我非常貼心，很清楚地就可以感覺得到我和他是一組，先生和大兒子是一組。」

# 許願的結果

第一次是在座談會中，一位女士帶著二十出頭的女兒前來參加，美麗又有氣質的媽媽問夫妻兩人是否在過去世裡有因果的關係。

畫面是在一個小山坡上，有一個年約七、八歲的小女孩跪著，她的正前方一個年紀相仿的小男生拿著用山花編成的小花環，戴在她的頭頂上。我明白了，原來他們正在玩新郎娶新娘的遊戲。畫面就只有如此，一個靜止的畫面。

「在某一世裡，妳（來問事的女士）是個小男孩，而妳先生是個小女孩，你們住在同一個村莊，村裡的小孩子們常常玩新郎娶新娘的遊戲。不同的是這個小男孩一直沉浸在這個美麗的遊戲中，他自己告訴自己，總有一天一定要娶這個小女孩為妻，但是小女孩並沒有特別喜歡這個小男孩，也從來沒有和小男孩一樣有著相同的想法。」

「媽媽，妳就認了吧！誰叫妳自己要許願的！」女兒在一旁插口道。

「哈哈！我知道了！誰叫你自己在過去世要許願！所以嘛！我常常叫大家不要隨隨便便、糊裡糊塗的就許願。」我也接著說道。

第二次，女士出現在一對一的服務時間內，

「陳太太你上次說我和我先生的因果是因爲我自己許的願，但是座談會的時間比較有限而我又想知道更清楚的內容，所以我報名了一對一的服務。」她說道。

「沒關係，只要掛號掛得上，我就會爲你服務，我一向很公平，只是我有規定，如果有過一對一的服務，必須經過半年之後才可以再報名一對一。」我還算是很民主，爲了不想養成別人迷信的習慣，不想阻礙了別人成長的機會，也爲了讓更多需要的人能夠得到一點點的幫助，所以我不得不採取某些措施。

好吧！鏡頭繼續帶下去，就讓我們看看後來到底又發生了什麼事。後來，小女孩長大了嫁給山下一個有錢人，而小男孩卻因爲一直想娶這個小女孩爲妻不成而終身未娶。雖然他一直沒有結婚，卻在事業上充分的發揮，並且盡力的行善。如果單從這個因果故事而言，女孩並沒有欠男孩任何的因果債，因爲任何人都有權利選擇他喜歡的結婚對象，更何況小女孩也從來沒有給小男孩任何的承諾，純粹就只是男孩子自己一廂情願的想法罷了。

經過了幾世的光景，在這一世裡，小女孩轉世爲這位女士的先生，老天爺滿足了她（過去世的小男孩）的心願，只是男孩變成了女人，女孩變成了男人……。女士賺錢很容易也的確賺了不少（因爲前世多行善之故），卻老是一而再、再而三的替先生償還債務，已經爲他還了八、九千萬元的債務。雖然目前兩人已經離婚，但是前夫還是糾纏不斷，想盡各種辦法就只是希望前妻能夠再多給他一些金錢而已。在這個因果故事中我們可以發現「天下沒有白吃的午餐」這一句話，連轉世的時候都還可以派得上用場。因爲在過去世中她的先生並沒有欠她任何的因果債，而她自己也只是一廂情願的想與對方結爲連理，好了！老天爺讓她如願了，而她也爲這個願望付出了極大的代價。

接下來的描述是這位女士親口告訴我的故事。很好聽很動人也很恐怖，恐怖到各位讀者以後可能都不敢把「許願」把「發誓」放在嘴邊，也一定會有人問我：「如果說我已經許願了，可是我現在後悔了，又該怎麼辦呢？」常常在座談會中我會提起這個因果故事，也常常在座談會後有人會問我以上的問題。

「在我八歲的時候，我爸爸有一次到隔壁村他的朋友家拜訪，聊啊聊的，知道對方有一個兒子年紀和我相仿，於是他就自作主張的把我許配給了這個男孩，回家之後，他卻一直沒有和家人談起此事，也就是說除了我爸爸之外，家裡沒有一個人知道詳情。到了我二十二歲的時候，我想出國到新加坡進修再學一些有關美儀的課程，我爸爸說話了，他說一個女孩子在這個年紀出國，一出去又是三年，他實在不放心，他希望我不要出國，乾脆結婚算了。他又問我有沒有適當的人選，我對他說沒有，他就說他在我八歲的時候幫我許了一戶人家。我一向很聽我爸爸的話，是個乖乖牌的女兒，於是就這樣糊裡糊塗的和隔壁村的男孩子結婚了。而我爸爸也在我婚後不到半年的時間，就莫名其妙的死亡了。怎麼這麼巧，同樣是發生在七、八歲時的故事，而我爸爸就好像是專門來處理我的婚事似的。從我結婚後開始，我就一直在賺錢供他們家的人花用，我的事業做得很順，財運也不錯，但是先生的事業就很差，我老是在替他還債。」

＊＊＊＊＊

我們再來看看另外一個故事，這個故事會讓人覺得……，很妙！很不可思議！在這個時代居然還會有這種情形發生。

那也是在一個週六下午的座談會，一位大約六十歲左右的太太問她和先生之間的因果。畫面是一個男人坐在桌前努力的核對著帳冊（在這裡我說是帳冊，可是當時的畫面根本就是極端的模糊，甚至於可以說根本就看不到帳冊，只約略的看到一個男人低頭在看桌上的東西），他的右手邊站著一個較年輕的女孩，含情脈脈的看著這個男人（我還是想再說清楚，什麼含情脈脈嘛，根本就是非常非常模糊的畫面，大概只有……，我實在不知道該如何說明才能讓大家相信那眞的是一閃即過的畫面）。故事來了，這是一家商店，男的是老闆，女的是會計小姐，女的愛上了男的，男的也知道女的愛上了他，但是他已婚也知道自己不能亂來，可是內心深處也著實喜歡這個女會計。說白一點就是彼此都是心裡有數——你心中有我，我心中有你——只要能夠天天看來看去也就心滿意足了。就這樣，這位癡情女會計一直待在店裡工作，一直沒有結婚。

因果故事中有誰欠誰嗎？如果再加上老闆娘這個角色，又有誰欠誰嗎？老闆和女會計又沒有亂來，一個沒有越軌一個沒有破壞別人的家庭，只不過雙方的「心」

都不知怎麼一回事罷了，而一般的法律中又沒有規定結了婚就不能「欣賞」或「暗戀」其他的異性。故事到了下一世該怎麼進行呢？我知道這位太太就是女會計來轉世，而她的先生就是那一位老闆。

「誰叫妳那麼癡情幹什麼呢？一輩子含情默默的看著一個人也能如此的心滿意足，眞是的！老天爺就讓妳這一輩子看個夠。」我說話了。

「我先生對我非常好，家中的一切他都幫我打理好好的，我簡直就沒有什麼事情可以煩惱，可是陳太太你知道嗎？我完全沒有自由，一點點的自由也沒有！」

「對不起，妳說完全沒有自由是什麼意思呢？我聽不懂妳的意思，在座的有沒有人聽得懂她的意思呢？」

「陳太太我告訴你，我先生要我把每天的時間記錄得淸淸楚楚的。」

「我還是有聽沒有懂。」

「是這樣的，我今年已經六十五歲了，可是不管我要去那裡，要去多久，我都要事先說淸楚，也就是說我先生隨時隨地都要知道我在什麼地方，就算我要出去買個菜洗個頭髮，也要說淸楚幾點要出去幾點會回來。我先生不是不信任我，其實他對我眞的是好得沒話說，可是我卻沒有一點點的自由。」

「陳太太，我可以作證，她是我婆婆，我是她最小的媳婦，我公公真的要求我婆婆一定要這麼做。」旁邊的一位小姐說話了。這個時候，小小的咖啡店裡一陣騷動。

「陳太太，我能不能拜託你一件事，雖然我們都知道你有你的規定，你一向是第一個問題從第一號回答到最後一號之後才會開始回答第二個問題，可是我能不能插隊一下，讓我馬上接著問第二個問題呢？」

「為什麼呢？」

「因為為了來你這裡，我騙我先生說是要帶小媳婦去看醫生，所以我們必須趕回去才行。」

「我問一下在場的各位，請問你們願不願意讓這位太太先問第二個問題呢？」想想，在場的有誰會不願意呢？大家一致鼓掌通過。當老太太問完第二個問題之後，牽著小媳婦的手馬上離開了咖啡店，留給我們一個很美妙的下午。

原來配偶太好了也是一種很大的負擔；原來擁有不是很好的配偶，其實是很快樂的。「缺陷的美」有人體會過嗎？我們不就是一直生活在缺陷的日子中嗎？為什麼很少人能夠發現其中的美呢？又為什麼很少人能夠享受當中的美呢？

# 祖母的故事

他問他和祖母的因果。

第一個畫面？一隻手伸進類似「甕」的容器內，取出一樣四四方方的東西，看起來有點像是豆腐乳，突然旁邊橫過來另一隻手狠狠的打了取出東西的那一隻手。第二個畫面就只有兩個字——「珍寶」。故事呢？我對在場的人士說出了因果：「丈夫好賭又不幫忙家計，只要一沒有錢就偷拿太太的珍寶去賣，雖然它們並不是什麼眞正的珍珠寶貝，但卻是全家最值錢的東西，一些可以拿出去出售而賴以爲生的自製醃漬豆腐乳。」

過去世的丈夫是問事的這一位先生，而太太則是他這一世的祖母，所以很簡單的一個推論，在這一世裡這一位主角欠了祖母「錢」，而這個錢又大部分是生活上的花費。主角說話了：「我每個月大概要花三萬元在我祖母的身上。」「啊！爲什麼要這麼多呢？」「喔，因爲她住在安養院，所有的費用全是我一個人在支出。」雖然他這麼解釋，可是我卻不認爲這麼單純。也許是因爲因果故事看多了，所以什麼樣的「因」可能會有什麼樣的「果」，我大概還有一丁點的概念。

如果眞是以上的因果故事，那麼在這一世裡應該不是這麼單純的只還金錢，照理說該還的還可能包括感情或者是精神方面的債務。可是問題出在那裡呢？六個人圍坐在一起吃飯，聊啊聊的，可是我的腦袋瓜不曾閒著，我一定要找出個所以然來。這就是我的個性，我不輕易被祂們騙了，因爲我不想欺騙任何人，來問事者也許滿意這個答案，我可不同，我一定要知道眞正「合理而又講得通」的答案。繼續「通」吧！反正在場的人從我的外表也看不出來我還在繼續「搜尋」……OK，我滿意了，等待適當的發言時機吧！

「其實故事並不是這麼簡單，我的訊息裡你在那一世裡動用到了別人的財產，講起來滿複雜的，不過我還是講淸楚比較好。在那一世裡你是你老婆的第二任丈夫，而且是入贅的，你老婆是先嫁給第一任丈夫，先生死了之後才又招贅第二任丈夫的。第一任丈夫死的時候，留了一些財產給妻子兒女，沒想到卻被招贅的第二任丈夫給賭博花掉了，做太太的也無可奈何，所有值錢的東西都被變賣掉了，只好出售自製的醃漬豆腐乳以維持家計。所以你的因果除了不照顧你自己的家庭之外，還賭博花掉了不該屬於你的財產。換句話說你侵占了別人的東西，侵占了不屬於自己的東西在因果上而言，是一種很重的因果債務。」

好了！我把我所知道的通通講出來了，至於對方要怎麼想，那是他家的事，我管不了那麼多，原因是——是想要問事的人自己來找我的，不是我請他們來找我問事的。唯有一五一十的把我接收到的所有訊息全部翻譯出來之後，我才能夠「放空」，這也許就是我能夠快速接收訊息的一種訓練方式——一定不能有所保留，一定要全部放空，唯有「空」才能「容」。

這種「放空」的訓練，也許就像是一句老掉牙的話——「不要執著」。因爲事情的內容也許完全不變，「人」也可能還是同一個，「空間」也依然如此，但是「時間」絕對是個變數。就因爲時間不是靜止的，所以答案就不一定是一成不變的。

一夥人繼續邊吃邊聊，眼看著飯局就要結束了，坐在對面的這一位男士若有所思的說著：

「其實我在這一世裡也是有兩個姓。」

「你在說什麼啊？」

「在這一世裡我祖母的第一任丈夫是招贅的，先生死了之後，她再嫁給第二任的丈夫。我從小就一直是姓第二任丈夫的姓，直到我大學畢業以後家人要我也必須祭拜第一個祖父，問了老半天才知道，原來我居然是第一任丈夫的孫子，但是卻姓了第二任丈夫的姓。」

# 另一種慈悲

一位女士問她的姻緣。

「是天生註定沒有婚姻的。」我這麼回答著。

「奇怪？什麼叫做天生註定沒有婚姻呢？我從來就沒有說過這樣子的話，好奇怪！我來查查看到底是什麼樣的因果。」對著一屋子的人我自問自答。沒辦法，很多時候我比在座的各位更好奇，因爲我不迷信，我想追根究柢。

畫面是——一艘航行中的渡船，船的左側有一隻鱷魚。我腦袋瓜中的故事是：某一世，她是個男人，從事渡船船夫的工作。有一天滿載著一船的人正開往目的地，突然船的左手邊出現了一隻大鱷魚，船夫爲了怕鱷魚傷人，於是拿起船槳朝鱷魚打去，沒想到卻因爲重心不穩，反而害得整條船翻覆，船上的人一個個被鱷魚給咬死了。船夫本身是個會游泳的人，所以他反而成了最後一個被鱷魚咬死的人。仔細想想，這個故事裡的船夫有錯嗎？跟她這一世的姻緣又能夠扯上什麼關係呢？

「你是不是常常會害怕失去家人呢？」我問。

「對！我很害怕失去家人，連做夢的時候也不知道爲什麼都常常會夢到失去家人。」她的眼眶紅了。印證了特殊的個性之後，我才告訴她我所看到的畫面和相關的因果故事。怎麼一回事呢？原來從船夫看到了鱷魚開始就擔心船上的人會出問題，沒想到船眞的翻了，他又眼睜睜的看到同船的人一個個被鱷魚咬死，最後連自己也逃不過。

「如果你這一世結婚了，那你的先生和小孩絕對會很可憐的，因爲你可能會一天到晚擔心失去他們而把他們顧得很緊、保護得很好。問題是這個時代的小孩，個個講究自由民主，一個個都說只要我喜歡有什麼不可以，有幾個願意讓父母盯得死死的，如果你潛意識裡害怕失去家人的心態不能調適過來，那麼我可以向你保證，你的先生你的小孩一定會離家出走的。老天爺就是擔心你可能會連續兩世都失去周遭的親朋好友，所以才會想辦法讓你在這一世裡暫時不要有婚姻，祂們是希望你在這一世裡慢慢的調適自己，讓自己走出過去世的陰影。」

「你不是沒有姻緣，也許你的心態調整過來了之後，老天爺也放心了，那時候姻緣自然會出現，而且那時候的姻緣也絕對是很好的，所以不用害怕，就開開心心的去結婚。」

「那我知道了，我要學會對生死不要那樣的執著。」

＊＊＊＊＊

「我的一個好朋友死了，我想知道他現在過的好不好？」

「他死了多久呢？」

「去年死的，大概是一年多。」

「我看到有東西掉下來了。」

「對！他是被高壓電塔打到的。」

「爲什麼呢？」

「高壓電塔斷成三截掉了下來，他是被電死的。」

「喔！他眞的是枉死的！眞的是個意外，他的本命不該死得這麼早。沒關係！

祂們說他是個專業人員，所以現在在上面受訓。」

「沒有錯，他是個很專業的人員，是個很棒的高壓電塔修復人員。」

「其實他是可以馬上就直接來轉世的，可是如果直接就這麼快來轉世，那麼有可能會傷害到他，因爲從高壓電塔上意外掉下來的經過在他的記憶裡留下了非常深刻的印象。老天爺說他在世的時候做人很好，所以不忍心讓他帶著過去世恐怖、無助的潛意識而來轉世。這實在是個好消息，因爲大概三到五年之內他會一直留在上面受訓，一方面忘掉意外災禍的記憶，一方面增加更多的本事。因此如果他的家人去『牽亡』的話，照理說應該是沒有辦法把他請出來的，如果能夠把他請出來的話，那麼可能是假的、騙人的。當然了，也有可能是我不對，我算錯了。」

＊＊＊＊＊

兩個女兒，一個兒子，一個媳婦，四個人一起來參加座談會。

「我父親很愛喝酒，是不是跟他的過去世有關呢？」兒子問，可是他卻已經先告訴我答案了。

「完全沒有關係的，純粹是這一世裡他自己的所作所爲，不要動不動就把所有不如意的事情通通都歸到過去世的因果，這種想法並不正確。」

「可是我爸爸眞的是喝酒喝得很嚴重，他一旦喝醉酒以後，說話就會很大聲，影響到一家人的生活。」女兒說。

「包括我兒子都會對我先生說叫阿公不要喝酒了。」媳婦也說話了。

「可是我眞的沒有看到過去世的因果關係。」就在這一瞬間，我收到了另一種啓示，可是我該怎麼解釋才好呢？

「陳老師，請問我爸爸這個壞習慣能不能改過呢？」另一個女兒說。

「坦白說不太容易。我先問你們一句話，看你爸爸這樣，你們會不會喝酒呢？」

「怎麼不會呢？我先生就會！」媳婦說。

「那你喝的多不多呢？」

「我會喝，但是我會自我節制。」

「各位知道嗎？我媽媽現在在榮總的安寧病房，隨時都可能會走掉，可是我卻坐在這裡跟各位聊天。當我媽媽發病以後，有個通靈的人說我媽媽是因爲年輕的時候脾氣不好，常常對我爸爸生氣大小聲，所以現在是老天爺在懲罰她。我不以爲然，因爲媽媽臥病在床，雖然她身受癌細胞的侵襲很痛苦，但是深愛著媽媽的爸爸更痛苦，因爲他無法替媽媽承擔肉體上的病痛。這些日子以來，我媽媽沒有因爲身體的劇痛而掉過一滴眼淚，爸爸卻哭過了好幾回，幾乎是天天哭，因爲他即將失去陪伴他走過快半個世紀的另一半，而在這個生死關頭，他卻一點點的忙也幫不上，只能眼睜睜的看著老婆獨自與病魔奮鬥。」

「有一晚我妹婿問我說，大姊，妳怎麼不問問看媽媽到底是什麼因果呢？我說，我不會問的，因爲沒有意義。在一旁的妹妹也說不需要問因果，只要大家盡心盡力照顧媽媽就好了。眞的，我們三個姊妹就是這樣，我們的信念是——不需要知道過去世有些什麼因果，因爲日子是用來經營的，是要靠自己走過來的。我對在場的弟妹們還有妹婿說，我倒是覺得媽媽是用她自己在喚醒我們一定要注意自己身體的健康。想想看媽媽一輩子非常好命，待人又非常好，從不與人計較，唯一可以讓她牽掛的就是她的子孫，在人生的最後這一段旅程，她用自己的身體讓我們淸淸楚楚的明白——健康是掌握在自己手上的。」

「昨天我小妹告訴我說媽媽白天意識模糊的時候說了一句話，她說——爲了子孫，沒有關係的。一樣的，我剛剛也收到了類似的訊息，老天爺告訴我說你爸爸是用他自己來警惕你們不要喝酒。」

「那我爸爸說話很大聲的毛病可不可以改過來呢？」女兒問道。在她說話的同時，我的眼前閃過了一個畫面，「鐃鈸」，一種樂器。

「對不起，可能不太容易，因爲他有一世是敲鐃鈸的樂師。」

散會之後，我覺得我解釋的還不夠，我應該教他們回去之後對著父親說——

「爸爸看你醉成這個樣子，我絕對不會讓我自己步上你的後路。」也許，也許父親就清醒了。

＊＊＊＊＊

還是一個女人問她的姻緣。

「對不起，妳可能沒有姻緣。」

「那跟我的過去世有沒有關係呢？」猜猜看我看到了什麼，在此先賣個關子。

「我覺得你的脾氣不太好。」

「對！我的脾氣眞的很不好。」她自己說，連一旁的朋友也拚命點頭。

「我覺得你的人際關係非常差，無法和人和平溝通。」

「對！我說的話常常會令聽的人很生氣，可是我卻不知道別人在生氣什麼。」

「對不起！我不知道你在說些什麼。」

「喔，我的意思是我所說的話常常會讓人聽了很生氣，可是別人生氣了好久，我都還不知道他們到底在生氣什麼。」她的這一番告白，把大夥兒給弄笑了。居然還有這種人，還如此的坦白，滿可愛的！

「我知道你在說些什麼了，就好像中國人不太容易領會西方式的笑話。」

「你知道我看到的是什麼嗎？……因為你是這樣來轉世的，所以根本沒有辦法一下子就進入人世間的情境裡。不過你要先想清楚的是能夠由……轉世為人，可見得你的修行有多好，只不過是一下子還不能適應而已。老天爺希望你先做個單純的世間人，先學習單身一陣子之後再來談論姻緣。如果在這一世裡馬上就讓你進入複雜的婚姻生活中修行，那實在是太殘忍了，你一定會打退堂鼓的。所以先清靜一世，看看所謂的人世間到底是怎麼一回事。」

各位，您可知道我看到的是什麼嗎？一個小牛魔王而已，他頭上的兩個小彎角我看得好清楚。

# 梅珍的故事

某先生——問事業，想自己開餐廳。

「可以，你的事業命不錯，而且可以自己創業，不過最好能夠等到三十七歲以後，而且手藝要學精一點對你才會更有幫助。因爲你走的是人脈的路線，一旦開店之後，只要好吃，就會客人帶客人，一個傳一個，一一上門來，生意自然會好。而且你的事業還可以傳給下一代，拜託！你要好好做。」我很擔心他不會珍惜自己的好命。

某小姐——坐在前面這位先生的旁邊，也是問事業。

「你結婚了沒有？因爲你有幫夫運，而且是屬於那種可以跟在先生旁邊幫他一起做的幫夫命，所以你最好找一個會開店的先生。」

旁邊一群年輕的朋友笑了起來，原來這兩人就是男女朋友。

「奇怪了，這麼好的命怎麼會發生在你們身上呢？通常未婚的來找我問事，總是被我罵的比較多，可是你們的事業命眞的很不錯。來！我主動來調調看因果，我們大家一起來研究看看，到底是什麼樣的前世因果讓他們能夠如此。」我對著參加座談會的二十多人說著。我實在是有夠雞婆，不過還是那一句話——沒辦法！我的好奇心很強，對因果輪迴轉世的過去、現在與未來，我總想找出些可以遵循的脈絡。

「奇怪了，我看到的是一個電影的海報畫面，那個背景好像是在逃難的樣子，你們記不記得好像是那個金素梅主演的一個逃難片，叫什麼珍的。」

「對啦！是梅珍，沒有錯，是金素梅主演的。」兩、三個人搶著回答。

「電影我沒有看過，所以我不清楚，不過，我看過那張海報。」我說。

「陳老師，是『梅珍』沒有錯，因爲我昨天晚上才看的，昨天第四臺有播出。」

說話的正是這位女主角，整間屋子裡聽到她這一句話的人都叫了起來。

「好可怕！怎麼會這麼巧！你昨天晚上才剛剛看過，這部片子已經好久了，你早不看晚不看，偏偏昨天才剛好看到。好玄！」說話的人正是我自己。這是常常發生的事，很多時候，連我自己都會覺得很可怕，到底是祂們怎麼了？還是我怎麼了？

故事是這樣的：

某一世裡，這兩位男女朋友就是一對夫妻，剛結婚沒多久卻碰到了戰爭，一大群人開始逃難。年輕的先生和妻子利用扁擔和簍子挑了必要的家當也跟著大夥兒一起往安全的方向逃，一路上兩人就這樣的輪流挑著所有的家當。後來，他們發現逃難的人群當中有很多幼小的孩子們實在是走不動了，於是兩人決定把家當再重新整理一番，不必要的就丟掉，必要的就打包好由妻子一個人背著，空下來的簍子就拿來讓走不動的小孩子們坐，由先生用扁擔挑著走。就這樣，在逃難的路途中，他們挑了好多的小朋友走過了最難捱的關卡。

「各位！憑著這一番的善心善行，就絕對值得老天爺特別眷顧他們兩人，對不對？」

# 渴死與喝水

一對夫妻同來參加座談會。妻子問夫妻兩人的過去世因果。

在某一世裡，先生是一個修行很好的人，當時他是個退休的國師，自己一個人住在很遙遠很荒涼的沙漠地區修行。那是個沙漠過客必經之地，因爲在國師居住的附近有一個天然的泉井，大部分的旅客都是算好了行程到那個地方去補充水分的。

有一日，泉井乾枯了，國師爲此而特別外出數日想要找尋補救之道。就在這個時候，有三個疲憊又乾渴的旅客來到了此地想要好好補給一番，沒想到……，這三個人就這樣渴死在泉井旁邊。

等到國師返家看到此景痛心不已，他責怪自己沒有事先在泉井之前數哩處，立個標示提醒旅客，請他們另覓水源。於是在轉世的時候，他自己要求老天爺讓他就近來照顧這幾個因爲口渴而冤死的過路客。其中一位旅客就是這一世的太太。

從這個因果故事中，我們可以淸楚的了解到，這一位國師應該是沒有欠這些過路客的，但是就因爲他修行修得很好，所以他自責是自己的疏忽而害死了這三個人。眞正修行功夫的高低，從這個例子就可以很明顯的看出來了。

## ※臺北縣某小姐

伶姬小姐：

二十八日從問路咖啡出來後，心情開朗，雖孩子性別問題無解，老公事業無著，仍是頗有收穫，特來與您分享，盼您能在忙碌中，也分享我們的快樂。

平日中，老公經常要我喝水，雖念在他一片好心有時也煩。那晚，聽完您一席話剛出門，一上車，老公又說：「你會不會口渴，我有帶水。」我靜靜的注視著他，他會過意來，忙說：「喔，不是我害死你的。」

不知我的笑話說的可好，能否博君一笑，每日他要我喝水時，就會開懷大笑，從您這兒我知一切都有因果，始眞心的感恩自己所有的際遇，感恩身邊所有的人事物。平凡是福，平淡也很棒，挑戰也可以，生命中的各種滋味都値得品嚐，何況我們眞的擁有許多。

看見您那麼付出，眞是佩服，在市女中，我曾是高您一屆的學姐，在一女中我妹妹也曾是小您一屆的學妹，如此攀親帶故，無非是要表達我欽佩您的品格。

養育子女我自以爲非常用心用情，也頗有心得，但看到您的育兒篇，仍不禁讚佩。理念需要方法來實踐，您的方法眞踏實，如果您如我一樣，在小學教書，相信您一定是一位很有效率的麻辣老師，受到您的啓發，我想我會努力研究，創新更好的教學法。

過去我並不在乎來生，今生不知前世，來生必也不知今世，只要活在當下，好好珍惜自己的機會。但我喜歡您的「黑盒子」，人人都要爲自己今生的功課負責。

和你一樣，不主動打電話、不應酬、酷愛獨處的人，特別來與您分享心情，因爲由衷的希望您也快樂。

# 守財奴

這是我到臺南一個英商保險公司小型座談會的故事。

一位先生問道：「我想問我的事業。」

畫面——一個大約四十多歲的男人坐著，他的雙腳上放著一個大約一尺半直徑竹編圓形容器，就像元宵節時師傅在翻滾一顆顆大大圓圓的元宵時所用的竹編容器，只不過尺寸小了一號，而篩子裡裝的是好多個銀色元寶。這位男人就這樣，很專心的一個一個數著那些元寶。

我說話了。

「對不起，你是個守財奴。」

「在座的有沒有人知道他有這個特別的習慣呢?你們都是同事,多多少少應該知道一些吧!」不等他回答我就直接問了在場人士這一句話。

「我不知道!」

「我不清楚!」

一時之間,大夥兒你看我,我看你,一個個搖頭說著。

「怎麼會不知道呢?這種個性在日常生活中一定會表現出來,你們也一定會看得出來的。」

「問他太太一定就會知道了!」一個同事突然冒出了這麼一句話。

「他太太有來嗎?也在現場嗎?」

一位女士笑得很開心,舉起了手,原來是剛剛也發問過的一位女士。

「他啊!出門從不帶錢!」

「那沒什麼了不起的!和我爸爸差不多,我爸爸和我媽媽出門的時候,也都只是帶著一百元的小鈔票,我媽媽只好帶著一千元的,所以每次要花大錢的時候,只好都由媽媽出手。」

「那你爸爸還比我先生好,起碼你爸爸還帶著一百元,我先生是連一塊錢也不會帶的，都等著我付錢。」

於是我告訴在場的各位，我所看到的畫面。

「你只會守著錢，每天晚上把元寶拿出來數一數，很開心！然後再把這些元寶塞到床底下去。有什麼用呢？那是古時候可以如此，可是這個時代，你把錢藏在床底下根本就不會生小錢，還可能被小偷偷走。再加上你根本就捨不得拿錢出來投資，怎麼可能會有事業呢？」

「不要忘了，天底下絕對沒有白吃的午餐！」

# 好好善後吧

這兩個故事說出來，大部分的人都會嚇了一跳，啊！這種情形也會影響到這一世啊！沒有錯！這個就是我一再強調的「必須要好好的善後」。

是這樣的，有一個人到海邊去游泳，結果看到了一個在水中大喊救命的人，於是他把這個人給救了上來。好不容易拖上了岸邊，他發現這個人似乎快斷氣了，一時害怕，就把這個辛辛苦苦救上來的人孤零零的丟棄在海邊，他自己先逃走了。結果呢？這個人本來是跳水自殺的，沒想到跳了水之後才心生後悔，只好死命的大喊救命。好了！終於有人來救他了，燃起了他的一絲希望，沒想到卻又被丟棄在海岸邊，心中的那一股希望最後變成了絕望。

「你和你先生無緣，雖然你救了他，可是卻也害了他。照理說你是欠他的。」

「我和我先生已經離婚了，我是想知道我的第二次姻緣。」

「如果你的個性不改，你的第二次姻緣也好不到那裡去，因爲你老是放出一些希望給人家，卻又不去認眞執行，就像是在空中畫餅一樣，害得對方一再的由希望變成絕望。」

「對啊！你就是這種個性，上次你不是跟你先生說你要調到那裡去嗎？他好高興，後來你自己又變卦了，害得他好失望……」旁邊的同事們也說話了。

第二個故事是這樣的，兩個好朋友開開心心的在井邊玩著猜拳的遊戲，猜贏的人可以輕輕拍打對方一巴掌，其中有個人猜贏了，伸出右手就打了過去，對方也順勢的躲了一下，沒想到這一閃，一個不小心就跌到井裡去了。猜贏的這一個人嚇壞了，亂了方寸，只想到趕快離開現場，卻忘了先叫人來救救朋友。

這麼簡單的因果故事，眞的就變成了這一世的大問題。我們常說要「處變不驚，莊敬自強」，我想在日常的生活中，的確是要培養突發事件的應變能力，如果能夠想到生命的可貴，再利用將心比心的方法，大概就比較能夠進入狀況。

近來，我們的呂副總統和《新新聞》雜誌的「嘿嘿嘿」事件，一審已過，法官也做出了判決，但是楊照先生不服，他說：「那一通最關鍵性的電話爲什麼憑空消失了呢？」是啊！哪一通不消失，偏偏最重要的那一通不見了。

如果「眞的沒有」那一通電話，那麼這個法官眞是漂亮，因爲明明白白的藉由這個案例，告訴一般人「一定要對自己所說的話負責任」，怎麼可以隨隨便便的就中傷別人呢？名譽就如同生命一樣，是要受到尊重的。只是不見得要在新聞媒體上刊登道歉啓事，我的看法是法官可以列出一個賠償金額，讓副總統自己決定要如何處理。

我也不認爲副總統需要在事後開個記者會，又再次強調有人在挑撥她和陳總統之間的感情，不管是否背後眞有一隻看不見的黑手，也不管這些人是否眞是如此，一個堂堂的副總統，難道非要事事和一般人一樣的計較嗎？爲何不學會心胸寬大一點呢？得饒人處且饒人，爲什麼就不「以柔克剛」呢？不要老是在製造這一類的新聞了。別忘了，她也是人民的表率，一個學習的楷模。

如果眞有後面的那一隻黑手，有什麼好擔心的呢，只要副總統沉得住氣，對方一定會受不了，早晚總會有曝光的一天，何必急在一時呢？

至於楊先生呢？如果眞的沒有那一通電話，那麼他的那一句話，可是傷了不少人、不少機構吧!這個因果有得還了,總有一天一定會等到他的。

如果「眞的有」那一通電話,那麼……老天爺又得重新思考重新布局了。

再來看看璩美鳳的光碟事件吧!縱使她的私德再怎麼差勁,事件中的當事人都沒有任何權利可以在她的房內安裝攝影機,拍攝她的生活情形,因爲那是她的隱私權,更不用說什麼拿出去賣給《獨家報導》了。

還有一條,那一條呢?我們的前總統夫人曾文惠女士被謝啓大和馮滬祥兩位前任立委控告攜帶大量美金準備逃亡。

爲什麼這案子和嘿嘿嘿事件,都不請出當時第一個說出這種話的人出來作證呢?

楊照說是要保護證人,是嗎?這些證人爲什麼就不能對自己說的話負責呢?他們難道也只是道聽塗說嗎?如果只是如此,那麼謝、馮二人不就是太幼稚太草率了嗎?分明就是在製造社會的動亂,人心的不安嘛!

我一直很關心這三個案子,我不是在乎誰對誰錯,我是在關心臺灣能不能眞正走向民主進步,因爲唯有人人尊重別人的名譽,會對自己說過的話、做過的行爲負責,那麼這個國家才會有希望。當然了,這當中需要有個公正無私、明察秋毫的法官大人。

我在看戲，是個很入戲的戲迷。我很認眞的在看戲，看原告被告還有法官，到底那一方最後會「好好的收拾善後」！

# 喜憨兒

有沒有人想過如果這一世是個喜憨兒，那麼他的下一世可能會如何呢？在九十一年二月二十七日的座談會中，我見識到了。爲什麼我把日子記的那麼淸楚呢？因爲二月二十三日我媽媽就已經住進了臺北榮民總醫院的安寧病房，本來我是預定二月二十五日早上十一點開始電話預約三月份的服務名額，但是在這種狀況下，只好向讀者說抱歉了，先暫停兩個月，至於什麼時候再開始，那就視情況再說了。因此這一場的座談會是這一陣子的最後一場，（到了九十年的十二月底在問路咖啡剛剛好辦了一百場的座談會，包括定期與不定期的，如果再加上一對一的服務，各位不難發現，對人生這條道路迷惘的人士還眞是不少。）名額還是二十五人，可是不但全員到齊，還多來了八個旁聽的，只好向對面的麵店借了三把椅子。爲了這最後一場，我額外答應讓這八個人也各問一個問題，因此整整花了將近三個鐘頭才結束。我很努力的向自己負責作個交代。

來吧！我們來說說喜憨兒的故事吧！

一位女士問道：「我能不能問我和我先生的因果呢？」

「妳先生有沒有來呢？」

「有！這一個！」她比一比她左手邊的一位男士。

「妳先生在現場妳還敢問。」我的話引起了一些人的笑聲。

看了他先生一眼，我的第一眼感覺是——很可愛，雖然他們看起來都差不多是五十歲上下的年紀。光憑兩人的外表我的直覺是：他們是一對恩愛夫妻，不過我的直覺常常會出錯，而且錯得很離譜，所以在爲別人服務的時候，我都盡可能不讓自己受自己判斷力的影響，怎麼做呢？一個最佳的方法就是盡量讓自己能夠隨時「放空」好讓「祂們」的訊息能夠清晰的輸進來。

如果您問我：「請問陳太太該如何做才能夠學會放空呢？」我只好對您笑一笑，不是我不想教您，既然我都那麼有心的把自己的經驗全寫出來，又何必要藏這麼一手呢？（相信只要是參加過座談會的人就能夠感受到我的有心）眞正的答案是——我也不知道我爲什麼做得到，我也沒有學過，我只知道我只要閉上眼睛把注意力集中在前額就行了，就放空了。十年前我剛通靈的時候用的方法是如此，十年後還是如此；十年前我剛通靈的時候功力是如此，閉上眼就能夠看到對方的因果，十年後我還是如此。結論是——十年了，這一路走來，我一點進步也沒有！只是更有原則更有個性罷了！

「糊裡糊塗，奇怪？祂們怎麼先給我這四個字呢？什麼意思我也不知道，反正我看到了我就先說出來，免得等一下忘記了。」話一說完，畫面出現了，有兩個，第一個畫面看到的是兩個男孩子坐在地上，兩人的面前各擺了一個簍子，簍子裡好像裝滿了東西。第二個畫面是其中一個男孩子從他自己腰前的大口袋中拿出錢給另一個男孩子。

「我看到兩個男孩子坐在地上，前面各擺了一個簍子，他們是在賣東西。」就在這個時候，畫面動了起來，從剛剛第一個靜態的畫面變成了動態，但是我的眼睛並沒有閉起來，應該這麼說，畫面就在我的腦袋瓜前面，好像是隱形的、虛擬的，可是我看得到，還可以張開眼睛邊看邊說故事。

「其中有一個男孩他的臉怪怪的，有點像是喜憨兒的樣子，等一下！我知道了！原來他的媽媽每天把他帶到這裡來，讓他坐在路邊賣點東西，並且拜託隔壁的男孩子幫忙照顧一下，他的媽媽就趕忙去做別的事了。我看到有好多人來買喜憨兒的東西，因爲客人看到他是喜憨兒，所以都向他買東西，反而是另一個男孩子沒有什麼生意好做，但是我卻看到這個男孩子一直在幫喜憨兒的忙，並且把客人給的錢放進了自己的口袋。」

「啊！」在場的人開始有議論聲音出來了。

「別緊張好不好！我還看到另一個畫面，等我說完再緊張也不遲。等到收攤的時候，幫忙的這一個男孩子把自己腰前大口袋中的錢，一一的算淸楚還給了喜憨兒。我知道了，這個喜憨兒對錢是糊裡糊塗的，可是偏偏天公疼憨人，傻人有傻福。原來剛剛客人很多的時候，因爲來不及算錢，於是好心的男孩只好先將客人買喜憨兒東西的錢往自己的口袋裡塞，也從自己這一邊的口袋找錢給客人，但是收攤的時候，他將該屬於喜憨兒的錢一一算淸楚還給了他。所以嘛，妳的先生一定很疼妳，對妳非常好，因爲妳就是那一個幫忙賣東西幫忙算錢的男孩子，而妳先生就是那個討人喜歡的喜憨兒。」

坐在一旁他兩夫婦的好朋友們拚命點頭認同我最後的結論，偏偏我們這位發問的女士很撒嬌、很寶貝的說了這麼一句話：「可是他都不讓我出去賺錢嘛！我都不能用我自己的能力去賺錢！」在場的好多人爲這一句話加上了答案：「我們怎麼都沒有這麼好命呢？我來跟妳換好了！」

# 一無所長

聽過這個故事的人也許會忘記故事的內容，但是卻很難忘記它所要告訴我們的一個重點，那就是——學習的重要性。「學習的重要性」重要到連上了天堂都還用得著它。這麼重要的因果定律，我卻在通靈十年後才由別人的因果故事中學到。

「陳太太，我媽媽已經死了一年多，我可不可以問她現在過得好不好呢？」關於這方面的問題，我總是用下面的這一句話做開始：

「這種問題我可以隨便編個因果故事騙騙你們，反正你們也無法去查證。」話是這麼說沒錯，可是我從來就沒有自己編因果故事來蒙騙對方，一如任何的問題，沒有例外，我很認眞的去搜尋答案。

「她不在地獄，也還沒有轉世，奇怪？她在那裡呢？喔！她在天上！可是……」我不知如何接下去，因爲我看到了一個畫面也收到了四個字——「一無所長」。什麼啊！爲什麼給我「一無所長」這四個字呢？既然是在天堂還要什麼一無所長呢？各位不妨動動腦猜一猜，到底發生了什麼事呢？注意！這個人是在所謂的天堂，不是在地獄。我已經知道答案了，可是要怎麼印證呢？

「請問一下，你媽媽在世的時候是不是一無所長呢？」

「她只是個鄉下女人，就只會照顧小孩看看家而已，當然是一無所長了。不過她的人眞的很好。」

「我當然相信她的人一定很好，否則的話，她怎麼能夠上天堂呢？」

「既然她上天堂了，我就放心了！」

「可是我要說的重點不在這裡，我想了解的是爲什麼菩薩說是一無所長呢？」

「我把我看到的畫面告訴你好了。我看到的是一個女人在一排類似教室的前面走來走去，看來看去的，這麼說好了，她是在每一間教室外面的走廊走來走去、看來看去，看看那一間教室教的課程比較適合她去上課。」

「你懂嗎？你媽媽是在觀摩，就因爲她一無所長，所以到了天上，老天爺也不知道應該要把她安排到那裡去才比較能夠適才適所。因爲她還不夠資格可以去受訓（譬如老天爺安排她去執行某些任務前的職前訓練），所以必須先加強自己的能力，偏偏她在世的時候又沒有什麼特別的專長，所以老天爺也就不知道該把她編到那一班去上課，只好讓她自己在各個教室前先觀摩一陣子再慢慢做決定。」

「我覺得好可惜！難得有機會能夠飛上天堂，卻不知道該學些什麼做些什麼，還得浪費時間先去做觀摩。」

是啊！人世間又何嘗不是如此呢？最簡單的例子就是當兵了，如果你有特殊的專長，當你去當兵的時候，也許就可以被分派到畫海報、做會計、吹喇叭、藝工表演等等，而不需要和一般的大頭兵一樣，一天到晚被操練。

我的媽媽得了肺癌，很快的就擴散到全身的骨頭。有一天在前往臺北榮民總醫院做電療的路上，那時二弟開車，我坐在前座，媽媽坐在右後方，另兩人是小妹和小弟媳婦。我把上述那個一無所長的因果故事說給大家聽了之後，我加上了一句話：「媽媽！如果您那一天眞的走了，我一點也不擔心，因爲您有一技之長，您很會做蛋糕很會做菜。」就在這一刹那間，我眞的收到了訊息，「媽媽！菩薩說祂們有口福了！」

事後，小妹告訴我：「姊，你不知道媽媽當時的表情看起來好欣慰的樣子！」小弟媳婦也告訴我：「大姊，這個因果故事眞的很令人感到意外，但是眞的很有意義，我應該把握時間盡量多學習，不管怎麼說，多學一種本事就多了一種選擇的機會。」

我明白了，學習的重要性不是只有在人世間才用得著，甚至連天堂、或許連地獄都非常管用。因爲到了下一世轉世爲人的時候，過去世學習所累積得來的本事，就變成了這個人的「潛力、天分」；如果沒有轉世爲人時，不管在天堂或在地獄，依然是個寶。學習得來的本事就像因果業障一樣，隨身帶著，走到那裡，帶到那裡，根本就沒有時空的限制。各位，還記得那一篇因果故事嗎？〈希特勒的部下〉，記得那一位武器專家嗎？記得他在臨終時學到了什麼嗎？心靈的成長，個性的改變……那是一種更高竿的學習。

我的兒子在參加臺北縣中等學校運動會之後，寫下了一篇感想，最後一段是這麼寫的：「雖然我們這次並沒有每個人都得獎，但是我還是覺得很快樂，很有成就感，因爲我有去參與，我有去努力，我有有始有終的把比賽參加到最後一刻。我覺得重要的不是在結果，結果只是鼓勵你在下次比賽更努力去突破自己的極限；重要的是在中間參與的過程，你能學到更多經驗，更多技巧，更多你下次可以改進的地方……。」

# 媽媽的關懷

# 食譜

蔡伶瑩

從小我們兄弟姊妹六個人就在母親的強力進補下成爲健康寶寶，記憶中，鴿子、斑鳩、穿山甲都曾是我們的「補品」，而放養的土雞更是家中的常客。母親常說：「小時候打好底子，長大就不會是個藥罐子。」

母親除了給我們進補外，也跟著曾祖母學做各式各樣的傳統米食，應節用的蘿蔔糕、年糕、發糕、紅龜糕、米苔目、包粽子沒有一樣難得倒她。每逢過年過節，就看她忙進忙出的準備，甚得族裡長輩們的讚許。而我們姊妹們也在從小耳濡目染下，或多或少學了一些。

隨著時代的進步，電視成爲家裡的一分子後，母親更是烹飪教學節目的忠實觀衆。從早期傅培梅的電視食譜開始，她就邊看邊做筆記，然後試著做，而我們就成了白老鼠和評審。一旦，那道菜通過審核，便成爲家中的常客，直到我們吃膩求饒。

接著新生代的教學者一一出現，例如「快樂菲姊」、「阿鴻當家」等所有的美食節目母親也都不放過，當然道具也越來越多。好不容易中餐的道具買齊了，電視台又推出西點蛋糕的教學，例如陳妍希的「快樂過生活」和張淑娟的「食全食美」。這下子母親又有得忙了，每天時間一到，就看到她準備好紙筆坐到電視前，帶上她的老花眼鏡準備上課。這個時候所有的人都得安靜不可以影響她，免得漏抄了一樣材料或步驟就成了罪魁禍首。電視首播看一次，重播再看一次，接著就要我們帶她到迪化街或百貨公司買材料，回來開始試做。一回生，二回熟，三回更上手，而我們也吃膩舉白旗了。

假如某樣作品母親覺得相當成功，還會廣結人緣，分送給親朋好友。更會以「大家吃了都稱讚」爲藉口一做再做，父親這時就會說：「人家免費吃你的，誰會說不好吃。」母親就會回嘴說：「人家都是有影才有說。」從母親開始迷做菜做點心開始，兩老不知道吵過多少次，也常背著對方向我們訴說。父親說：「道具材料買了一大堆，外面賣的買來嚐一下就好，常常做了一大堆還要拜託人家吃，不知道她在想什麼？」母親說：「我又沒別的嗜好，不會和別人出去逛街買衣服，也不會出去打牌，唯一的嗜好就是做東做西，他也要管，難道買衣服會比這個省嗎？」眞是公說公有理，婆說婆有理，我們聽聽就好，因爲過兩天父親吃到他喜歡的作品又會大大的稱讚母親，母親就得意的忘了所有的不愉快。

母親的食譜都是寫在日曆紙的背面，而這日曆紙也是父親爲她裁割的。從開始寫到現在不知道寫了多少年，用了多少紙。近年來網路盛行，曾提議說幫她從網路抓食譜印給她，她老人家卻堅持己見自己抄，理由很簡單，「多多練字，才不會得老人癡呆症」，做兒女的我們也就無話可說了。

去年十月，母親在例行的心臟科門診時，無意間發現腎臟出了毛病，進一步檢查確定是腎臟癌而緊急開刀拿掉一個腎臟。其後每三個月做一次複檢，前九個月都沒問題，正當大夥們都慶幸說好在及早發現時，第四次複檢卻發現肺部有異樣，經過正子攝影檢查確定是肺癌，而且已經到第三期末，醫生估計存活不到一年。這突來的一切讓我們都慌了手腳，一方面隱瞞母親實情，一方面安慰年老的父親，父親說：「我再也不會阻止她做東做西了，你們就配合著多吃點吧。」沒想到母親的身體卻急速變化，短短的兩個月，她老人家身體時好時壞，當手腳痠痛時不但舉步維艱，連抬起手都覺得困難。起初，母親疼痛時會呻吟不已，某天卻都沒聽到喊痛的聲音，以爲所吃的中藥發生藥效，詢問之下卻得到令人心酸的答案。母親說：「那天半夜我在喊痛，你爸爸哭得好傷心，他說沒辦法替我痛，看我這樣痛他很難過，所以第二天開始我就強忍下來，免得他更難過。」老夫老妻的情分盡在不言中，豈是我們做子女的所能言喻的。

當母親情況較好時，就坐在書桌前把以前所做的筆記全部拿出來，她說：「把這些食譜再重新看一次，覺得不錯的重新給它整理好，再整整齊齊的抄一遍，以後你們要看著做才會更淸楚。」母親的堅持讓只會偶爾在西點麵包店買一、二個來吃的我們都有些汗顏。母親夜裡還對父親說：「我把食譜一式抄兩份，等我往生後，一份給孩子，一份幫我放入棺材內，這樣我到另一個世界才不會無聊。」話說完不到幾天，母親的痠痛已經轉到手臂，於是看到母親將已經整理好的食譜又淘汰一些，而且更積極的抄。我們說幫她用電腦打出來，她卻說那沒有意義，寧可忍痛抄。前幾天母親又淘汰了好大一疊，因爲她連吃一頓飯，都得將碗放下好幾次稍做休息再繼續。當然好強的她不會因此而停止她想要做的事，只要是情況較好時就會看到她在趕工，深怕來不及完成，那將成爲一個遺憾。

母親買的食譜中西餐加起來不下五十本，本本印刷精美，以前我們兄弟姊妹們常想她老人家何必如此呢？現在卻只能祈求上蒼多給母親一點時間和體力，畢竟這是她引以爲傲的心願啊！

——

＊蔡伶瑩是我的妹妹，原文刊載於《中華日報》九十一年三月十一日第十九版。

生活視窗40

# 茉莉花的女兒


2002年6月初版　定價：新臺幣250元

2005年2月初版第十三刷





著　　者　伶　　姬

發 行 人　林 載 爵

出 版 者　聯經出版事業股份有限公司

台北市忠孝東路四段555號

台北發行所地址：台北縣汐止市大同路一段367號

電話：(02)26418661

台北忠孝門市地址：台北市忠孝東路四段561號1-2F

電話：(02)27683708

台北新生門市地址：台北市新生南路三段94號

電話：(02)23620308

台中門市地址：台中市健行路321號

台中分公司電話：(04)22312023

高雄辦事處地址：高雄市成功一路363號B1

電話：(07)2412802

郵政劃撥帳戶第0100559-3號

郵撥電話：26418662

印 刷 者　世和印製企業有限公司

責任編輯　林 芳 瑜

校　　對　張 幸 美

封面設計　巫 麗 雪

行政院新聞局出版事業登記證局版臺業字第0130號

本書如有缺頁，破損，倒裝請寄回發行所更換。　ISBN 957-08-2443-3 (平裝)

聯經網址 http://www.linkingbooks.com.tw

信箱 e-mail:linking@udngroup.com

國家圖書館出版品預行編目資料

茉莉花的女兒 / 伶姬著．--初版．
--臺北市：聯經，2002年
264面；14.8×21公分．-- (生活視窗；40)
ISBN 957-08-2443-3(平裝)
〔2005年2月初版第十三刷〕

I．因果(佛教)-通俗作品

225.87 91008850